ANTOLOGÍA POÉTICA

 Biblioteca clásica
y contemporánea

FEDERICO GARCÍA LORCA

ANTOLOGÍA POÉTICA

(1918-1936)

Selección de
Guillermo de Torre y **Rafael Alberti**

DECIMAQUINTA EDICIÓN

EDITORIAL LOSADA, S.A.
BUENOS AIRES

Edición expresamente autorizada para la
BIBLIOTECA CLÁSICA Y CONTEMPORÁNEA

15ª edición: julio 1992

PQ
6613
. A763
A176
1992

© Editorial Losada, S.A.
Moreno 3362
Buenos Aires, 1957

Tapa: Alberto Diez

ISBN: 950-03-0173-3
Queda hecho el depósito que marca la ley 11.723
Marca y características gráficas registradas en la
Oficina de Patentes y Marcas de la Nación
Impreso en la Argentina
Printed in Argentina

POESÍAS

1

LIBRO DE POEMAS
(1921)

LOS ENCUENTROS
DE UN CARACOL AVENTURERO

Diciembre de 1918 (Granada)

HAY dulzura infantil
en la mañana quieta.
Los árboles extienden
sus brazos a la tierra.
Un vaho tembloroso
cubre las sementeras,
y las arañas tienden
sus caminos de seda
—rayas al cristal limpio
del aire—.

        En la alameda
un manantial recita
su canto entre las hierbas.
Y el caracol, pacífico
burgués de la vereda,
ignorado y humilde,
el paisaje contempla.

La divina quietud
de la naturaleza
le dio valor y fe,
y olvidando las penas
de su hogar deseó
ver el fin de la senda.

Echó a andar e internóse
en un bosque de yedras
y de ortigas. En medio
había dos ranas viejas
que tomaban el sol,
aburridas y enfermas.

Esos cantos modernos,
murmuraba una de ellas,
son inútiles. Todos,
amiga, le contesta
la otra rana, que estaba
herida y casi ciega:
Cuando joven creía
que si al fin Dios oyera
nuestro canto, tendría
compasión. Y mi ciencia,
pues ya he vivido mucho,
hace que no la crea.
Yo ya no canto más...

Las dos ranas se quejan
pidiendo una limosna
a una ranita nueva
que pasa presumida
apartando las hierbas.

Ante el bosque sombrío
el caracol se aterra.
Quiere gritar. No puede.
Las ranas se le acercan.

¿Es una mariposa?,
dice la casi ciega.
Tiene dos cuernecitos,
la otra rana contesta.
Es el caracol. ¿Vienes,
caracol, de otras tierras?

Vengo de mi casa y quiero
volverme muy pronto a ella.
Es un bicho muy cobarde,
exclama la rana ciega.
¿No cantas nunca? No canto,
dice el caracol. ¿Ni rezas?
Tampoco: nunca aprendí.
¿Ni crees en la vida eterna?
¿Qué es eso?

       Pues vivir siempre
en el agua más serena,
junto a una tierra florida
que a un rico manjar sustenta
Cuando niño a mí me dijo,
un día, mi pobre abuela,
que al morirme yo me iría
sobre las hojas más tiernas
de los árboles más altos.

Una hereje era tu abuela.
La verdad te la decimos
nosotras. Creerás en ella,
dicen las ranas, furiosas.

¿Por qué quise ver la senda?,
gime el caracol. Sí creo
por siempre en la vida eterna
que predicáis...
       Las ranas,
muy pensativas, se alejan,
y el caracol, asustado,
se va perdiendo en la selva.

Las dos ranas mendigas
como esfinges se quedan.
Una de ellas pregunta:
¿Crees tú en la vida eterna?
Yo no, dice muy triste

13

la rana herida y ciega.
¿Por qué hemos dicho, entonces,
al caracol que crea?
Porque... No sé por qué,
dice la rana ciega,
Me lleno de emoción
al sentir la firmeza
con que llaman mis hijos
a Dios desde la acequia...

El pobre caracol
vuelve atrás. Ya en la senda
un silencio ondulado
mana de la alameda.
Con un grupo de hormigas
encarnadas se encuentra.
Van muy alborotadas,
arrastrando tras ellas
a otra hormiga que tiene
tronchadas las antenas.
El caracol exclama:
Hormiguitas, paciencia.
¿Por qué así maltratáis
a vuestra compañera?
Contadme lo que ha hecho.
Yo juzgaré en conciencia.
Cuéntalo tú, hormiguita.

La hormiga medio muerta
dice muy tristemente:
Yo he visto las estrellas.
¿Qué son estrellas?, dicen
las hormigas inquietas.
Y el caracol pregunta
pensativo: ¿Estrellas?
Sí, repite la hormiga,
he visto las estrellas.
Subí al árbol más alto
que tiene la alameda

y vi miles de ojos
dentro de mis tinieblas.
El caracol pregunta:
¿Pero qué son estrellas?
Son luces que llevamos
sobre nuestra cabeza.
Nosotras no las vemos,
las hormigas comentan.
Y el caracol: Mi vista
sólo alcanza a las hierbas.

Las hormigas exclaman
moviendo sus antenas:
Te mataremos, eres
perezosa y perversa.
El trabajo es tu ley.

Yo he visto las estrellas,
dice la hormiga herida.
Y el caracol sentencia:
Dejadla que se vaya,
seguid vuestras faenas.
Es fácil que muy pronto
ya rendida se muera.

Por el aire dulzón
ha cruzado una abeja.
La hormiga agonizando
huele la tarde inmensa
y dice: Es la que viene
a llevarme a una estrella.

Las demás hormiguitas
huyen al verla muerta.

El caracol suspira
y aturdido se aleja
lleno de confusión
por lo eterno. La senda

no tiene fin, exclama.
Acaso a las estrellas
se llegue por aquí.
Pero mi gran torpeza
me impedirá llegar.
No hay que pensar en ellas.

Todo estaba brumoso
de sol débil y niebla.
Campanarios lejanos
llaman gente a la iglesia.
Y el caracol, pacífico
burgués de la vereda,
aturdido e inquieto
el paisaje contempla.

SUEÑO

Mayo de 1919.

MI corazón reposa junto a la fuente fría.
    (Llénala con tus hilos,
    araña del olvido).

El agua de la fuente su canción le decía.
    (Llénala con tus hilos,
    araña del olvido).

Mi corazón despierto sus amores decía.
    (Araña del silencio,
    téjele tu misterio).

El agua de la fuente lo escuchaba sombría.
    (Araña del silencio,
    téjele tu misterio).

Mi corazón se vuelca sobre la fuente fría.
      (Manos blancas, lejanas,
      detened a las aguas).

Y el agua se lo lleva cantando de alegría.
      (¡Manos blancas, lejanas,
      nada queda en las aguas!)

BALADA DE UN DÍA DE JULIO

Julio de 1919.

ESQUILONES de plata
llevan los bueyes.

—¿Dónde vas, niña mía,
de sol y nieve?

—Voy a las margaritas
del prado verde.

—El prado está muy lejos
y miedo tiene.

—Al airón y a la sombra
mi amor no teme.

—Teme al sol, niña mía,
de sol y nieve.

—Se fue de mis cabellos
ya para siempre.

—¿Quién eres, blanca niña?
¿De dónde vienes?

—Vengo de los amores
y de las fuentes.

Esquilones de plata
llevan los bueyes.

—¿Qué llevas en la boca
que se te enciende?

—La estrella de mi amante
que vive y muere.

—¿Qué llevas en el pecho
tan fino y leve?

—La espada de mi amante
que vive y muere.

—¿Qué llevas en los ojos,
negro y solemne?

—Mi pensamiento triste
que siempre hiere.

—¿Por qué llevas un manto
negro de muerte?

—¡Ay, yo soy la viudita
triste y sin bienes!

Del conde del Laurel
de los Laureles.

—¿A quién buscas aquí
si a nadie quieres?

—Busco el cuerpo del conde
de los Laureles.

—¿Tú buscas el amor,
viudita aleve?
Tú buscas un amor
que ojalá encuentres.

—Estrellitas del cielo
son mis quereres,
¿dónde hallaré a mi amante
que vive y muere?

—Está muerto en el agua,
niña de nieve,
cubierto de nostalgias
y de claveles.

—¡Ay! caballero errante
de los cipreses,
una noche de luna
mi alma te ofrece.

—¡Ah Isis soñadora!
Niña sin mieles,
la que en bocas de niños
su cuento vierte.
Mi corazón te ofrezco,
corazón tenue,
herido por los ojos
de las mujeres.

—Caballero galante,
con Dios te quedes.

Voy a buscar al conde
de los Laureles...

—Adiós, mi doncellita,
rosa durmiente,
tú vas para el amor
y yo a la muerte.

Esquilones de plata
llevan los bueyes.

Mi corazón desangra
como una fuente.

BALADA DE LA PLACETA

1919.

CANTAN los niños
en la noche quieta:
¡Arroyo claro,
fuente serena!

LOS NIÑOS

¿Qué tiene tu divino
corazón de fiesta?

YO

Un doblar de campanas,
perdidas en la niebla.

LOS NIÑOS

Ya nos dejas cantando
en la plazuela.
¡Arroyo claro,
fuente serena!

¿Qué tienes en tus manos
de primavera?

YO

Una rosa de sangre
y una azucena.

LOS NIÑOS

Mójalas en el agua
de la canción añeja.
¡Arroyo claro,
fuente serena!

¿Qué sientes en tu boca
roja y sedienta?

YO

El sabor de los huesos
de mi gran calavera.

LOS NIÑOS

Bebe el agua tranquila
de la canción añeja.
¡Arroyo claro,
fuente serena!

¿Por qué te vas tan lejos
de la plazuela?

YO

¡Voy en busca de magos
y de princesas!

LOS NIÑOS

¿Quién te enseñó el camino
de los poetas?

YO

La fuente y el arroyo
de la canción añeja.

LOS NIÑOS

¿Te vas lejos, muy lejos
del mar y de la tierra?

YO

Se ha llenado de luces
mi corazón de seda,
de campanas perdidas,
de lirios y de abejas,
y yo me iré muy lejos,
más allá de esas sierras,
más allá de los mares,
cerca de las estrellas,
para pedirle a Cristo
Señor que me devuelva
mi alma antigua de niño,
madura de leyendas,
con el gorro de plumas
y el sable de madera.

LOS NIÑOS

Ya nos dejas cantando
en la plazuela.
¡Arroyo claro,
fuente serena!

Las pupilas enormes
de las frondas resecas,
heridas por el viento,
lloran las hojas muertas.

LA SOMBRA DE MI ALMA

Diciembre de 1919 (Madrid).

LA SOMBRA de mi alma
huye por un ocaso de alfabetos,
niebla de libros
y palabras.

¡La sombra de mi alma!

He llegado a la línea donde cesa
la nostalgia,
y la gota de llanto se transforma
alabastro de espíritu.

(¡La sombra de mi alma!)

El copo del dolor
se acaba,
pero queda la razón y la substancia
de mi viejo mediodía de labios,
de mi viejo mediodía
de miradas.

Un turbio laberinto
de estrellas ahumadas
enreda mi ilusión
casi marchita.

¡La sombra de mi alma!

Y una alucinación
me ordeña las miradas.
Veo la palabra amor
desmoronada.

¡Ruiseñor mío!
¡Ruiseñor!
¿Aún cantas?

BALADA INTERIOR

16 de julio de 1920.
(Vega de Zujaira.)

EL CORAZÓN
que tenía en la escuela

donde estuvo pintada
la cartilla primera,
¿está en ti,
noche negra?

(Frío, frío,
como el agua
del río.)

El primer beso
que supo a beso y fue
para mis labios niños
como la lluvia fresca,
¿está en ti,
noche negra?

(Frío, frío,
como el agua
del río.)

Mi primer verso,
la niña de las trenzas
que miraba de frente,
¿está en ti,
noche negra?

(Frío, frío,
como el agua
del río.)

Pero mi corazón
roído de culebras,
el que estuvo colgado
del árbol de la ciencia,
¿está en ti,
noche negra?

(Caliente, caliente,
como el agua
de la fuente.)

Mi amor errante,
castillo sin firmeza,
de sombras enmohecidas,
¿está en ti,
noche negra?

(Caliente, caliento,
como el agua
de la fuente.)

¡Oh, gran dolor!
Admites en tu cueva
nada más que la sombra.
¿Es cierto,
noche negra?

(Caliente, caliento,
como el agua
de la fuente.)

¡Oh corazón perdido!
¡Réquiem aeternam!

DESEO

1920.

SÓLO tu corazón caliente,
y nada más.

Mi paraíso, un campo
sin ruiseñor
ni liras,
con un río discreto
y una fuentecilla.

Sin la espuela del viento
sobre la fronda,
ni la estrella que quiere
ser hoja.

Una enorme luz
que fuera
luciérnaga
de otra,
en un campo de
miradas rotas.

Un reposo claro
y allí nuestros besos,
lunares sonoros
del eco,
se abrirían muy lejos.

Y tu corazón caliente,
nada más.

LA BALADA DEL AGUA DEL MAR

1920.

EL MAR
sonríe a lo lejos.
Dientes de espuma,
labios de cielo.

—¿Qué vendes, oh joven turbia
con los senos al aire?

—Vendo, señor, el agua
de los mares.

—¿Qué llevas, oh negro joven,
mezclado con tu sangre?

—Llevo, señor, el agua
de los mares.

—¿Esas lágrimas salobres
de dónde vienen, madre?

—Lloro, señor, el agua
de los mares.

—Corazón; y esta amargura
seria, ¿de dónde nace?

—¡Amarga mucho el agua
de los mares!

El mar
sonríe a lo lejos.
Dientes de espuma,
labios de cielo.

2

POEMA DEL CANTE JONDO

(1921 - 1922)

BALADILLA DE LOS TRES RÍOS

EL río Guadalquivir
va entre naranjos y olivos.
Los dos ríos de Granada
bajan de la nieve al trigo.

¡Ay, amor
que se fue y no vino!

El río Guadalquivir
tiene las barbas granates.
Los dos ríos de Granada,
uno llanto y otro sangre.

¡Ay, amor
que se fue por el aire!

Para los barcos de vela
Sevilla tiene un camino;
por el agua de Granada
sólo reman los suspiros.

¡Ay, amor
que se fue y no vino!

Guadalquivir, alta torre
y viento en los naranjales.
Dauro y Genil, torrecillas
muertas sobre las estanques.

¡Ay, amor
que se fue por el aire!

¡Quién dirá que el agua lleva
un fuego fatuo de gritos!

¡Ay, amor
que se fue y no vino!

Lleva azahar, lleva olivas,
Andalucía, a tus mares.

¡Ay, amor
que se fue por el aire!

LA GUITARRA

EMPIEZA el llanto
de la guitarra.
Se rompen las copas
de la madrugada.
Empieza el llanto
de la guitarra.
Es inútil callarla.
Es imposible
callarla.
Llora monótona
como llora el agua,
como llora el viento
sobre la nevada.
Es imposible
callarla.
Llora por cosas
lejanas.
Arena del Sur caliente
que pide camelias blancas.
Llora flecha sin blanco,
la tarde sin mañana,
y el primer pájaro muerto
sobre la rama.
¡Oh, guitarra!
Corazón malherido
por cinco espadas.

EL PASO DE LA SIGUIRIYA

ENTRE mariposas negras
va una muchacha morena,
junto a una blanca serpiente
de niebla.

Tierra de luz,
cielo de tierra.

Va encadenada al temblor
de un ritmo que nunca llega;
tiene el corazón de plata
y un puñal en la diestra.

¿Adónde vas, siguiriya,
con un ritmo sin cabeza?
¿Qué luna recogerá
tu dolor de cal y adelfa?

Tierra de luz,
cielo de tierra.

TIERRA SECA

TIERRA seca,
tierra quieta
de noches
inmensas.

(Viento en el olivar,
viento en la sierra).

Tierra
vieja
del candil
y la pena.
Tierra
de las hondas cisternas.

Tierra
de la muerte sin ojos
y las flechas.

(Viento por los caminos.
Brisa en las alamedas).

¡AY!

EL grito deja en el viento
una sombra de ciprés.

(Dejadme en este campo,
llorando).

Todo se ha roto en el mundo.
No queda más que el silencio.

(Dejadme en este campo,
llorando).

El horizonte sin luz
está mordido de hogueras.
(Ya os he dicho que me dejéis
en este campo,
llorando).

SORPRESA

MUERTO se quedó en la calle
con un puñal en el pecho.
No lo conocía nadie.
¡Cómo temblaba el farol,
madre!
¡Cómo temblaba el farolito
de la calle!

Era madrugada. Nadie
pudo asomarse a sus ojos
abiertos al duro aire.
Que muerto se quedó en la calle,
que con un puñal en el pecho
y que no lo conocía nadie.

LA SOLEÁ

VESTIDA con mantos negros
piensa que el mundo es chiquito
y el corazón es inmenso.

Vestida con mantos negros.

Piensa que el suspiro tierno
y el grito, desaparecen
en la corriente del viento.

Vestida con mantos negros.

Se dejó el balcón abierto
y el alba por el balcón
desembocó todo el cielo.

¡Ay ayayayay,
que vestida con mantos negros!

ENCUENTRO

NI tú ni yo estamos
en disposición
de encontrarnos.
Tú... por lo que ya sabes.
¡Yo la he querido tanto!
Sigue esa veredita.
En las manos
tengo los agujeros
de los clavos.

¿No ves cómo me estoy
desangrando?
No mires nunca atrás,
vete despacio
y reza como yo
a San Cayetano,
que ni tú ni yo estamos
en disposición
de encontrarnos.

POEMA DE LA SAETA

SEVILLA

SEVILLA es una torre
llena de arqueros finos.

Sevilla para herir.
Córdoba para morir.

Una ciudad que acecha
largos ritmos,
y los enrosca
como laberintos.
Como tallos de parra
encendidos.

¡Sevilla para herir!

Bajo el arco del cielo,
sobre su llano limpio,
dispara la constante
saeta de su río.

¡Córdoba para morir!

Y loca de horizonte,
mezcla en su vino
lo amargo de Don Juan
y lo perfecto de Dioniso.

Sevilla para herir.
¡Siempre Sevilla para herir!

PASO

VIRGEN con miriñaque,
virgen de Soledad,
abierta como un inmenso
tulipán.

En tu barco de luces
vas
por la alta marea
de la ciudad,
entre saetas turbias
y estrellas de cristal.
Virgen con miriñaque,
tú vas
por el río de la calle
¡hasta el mar!

SAETA

CRISTO moreno
pasa
de lirio de Judea
a clavel de España.

¡Miradlo por dónde viene!

De España.
Cielo limpio y oscuro,
tierra tostada,
y cauces donde corre
muy lenta el agua.

Cristo moreno,
con las guedejas quemadas,
los pómulos salientes
y las pupilas blancas.

¡Miradlo por dónde va!

BALCÓN

La Lola
canta saetas.
Los toreritos
la rodean,
y el barberillo
desde su puerta,
sigue los ritmos
con la cabeza.
Entre la albahaca
y la hierbabuena,
la Lola canta
saetas.
La Lola aquella,
que se miraba
tanto en la alberca.

MUERTE DE LA PETENERA

En la casa blanca, muere
la perdición de los hombres.

Cien jacas caracolean.
Sus jinetes están muertos.

Bajo las estremecidas
estrellas de los velones,
su falda de moaré tiembla
entre sus muslos de cobre.

Cien jacas caracolean.
Sus jinetes están muertos.

Largas sombras afiladas
vienen del turbio horizonte,
y el bordón de una guitarra
se rompe.

Cien jacas caracolean.
Sus jinetes están muertos.

LA LOLA

BAJO el naranjo, lava
pañales de algodón.
Tiene verdes los ojos
y violeta la voz.

¡Ay, amor,
bajo el naranjo en flor!

El agua de la acequia
iba llena de sol;
en el olivarito
cantaba un gorrión.

¡Ay, amor,
bajo el naranjo en flor!
Luego, cuando la Lola
gaste todo el jabón,
vendrán los torerillos.

¡Ay, amor,
bajo el naranjo en flor!

AMPARO

AMPARO,
¡qué sola estás en tu casa,
vestida de blanco!

(Ecuador entre el jazmín
y el nardo).

Oyes los maravillosos
surtidores de tu patio,
y el débil trino amarillo
del canario.

Por la tarde ves temblar
los cipreses con los pájaros,
mientras bordas lentamente
letras sobre el cañamazo.

Amparo,
¡qué sola estás en tu casa,
vestida de blanco!
Amparo,
¡y qué difícil decirte:
yo te amo!

VIÑETAS FLAMENCAS

*A Manuel Torres, "Niño de Jerez", que
tiene tronco de Faraón.*

LAMENTACIÓN DE LA MUERTE

SOBRE *el cielo negro,
culebrinas amarillas.*

Vine a este mundo con ojos
y me voy sin ellos.
¡Señor del mayor dolor!

Y luego,
un velón y una manta
en el suelo.

Quise llegar adonde
llegaron los buenos.
¡Y he llegado, Dios mío!...
Pero luego,
un velón y una manta
en el suelo.

CAFÉ CANTANTE

LÁMPARAS de cristal
y espejos verdes.

Sobre el tablado oscuro,
la Parrala sostiene
una conversación
con la muerte.
La llama,
no viene,
y la vuelve a llamar.

Las gentes
aspiran los sollozos.
Y en los espejos verdes,
largas colas de seda
se mueven.

MEMENTO

CUANDO yo me muera
enterradme con mi guitarra
bajo la arena.

Cuando yo me muera,
entre los naranjos
y la hierbabuena.

Cuando yo me muera,
enterradme, si queréis,
en una veleta.

¡Cuando yo me muera!

SEVILLA

BAILE

La Carmen está bailando
por las calles de Sevilla.
Tiene blancos los cabellos
y brillantes las pupilas.

¡Niñas,
corred las cortinas!

En su cabeza se enrosca
una serpiente amarilla,
y va soñando en el baile
con galanes de otros días.

¡Niñas,
corred las cortinas!

Las calles están desiertas
y en los fondos se adivinan
corazones andaluces
buscando viejas espinas.

¡Niñas,
corred las cortinas!

3

PRIMERAS CANCIONES
(1922)

REMANSOS

CIPRESES.
(Agua estancada).

Chopo.
(Agua cristalina).

Mimbre.
(Agua profunda).

Corazón.
(Agua de pupila).

REMANSILLO

ME miré en tus ojos
pensando en tu alma.

Adelfa blanca.

Me miré en tus ojos
pensando en tu boca.

Adelfa roja.

Me miré en tus ojos.
¡Pero estabas muerta!

Adelfa negra.

VARIACIÓN

EL remanso del aire
bajo la rama del eco.

El remanso del agua
bajo fronda de luceros.

El remanso de tu boca
bajo espesura de besos.

REMANSO, CANCIÓN FINAL

YA viene la noche.

Golpean rayos de luna
sobre el yunque de la tarde.

Ya viene la noche.

Un árbol grande se abriga
con palabras de cantares.

Ya viene la noche.

Si tú vinieras a verme
por los senderos del aire.

Ya viene la noche.

Me encontrarías llorando
bajo los álamos grandes.
       ¡Ay morena!
bajo los álamos grandes.

DOS BALADAS AMARILLAS

1

EN lo alto de aquel monte
hay un arbolillo verde.

Pastor que vas,
pastor que vienes.

Olivares soñolientos
bajan al llano caliente.

Pastor que vas,
pastor que vienes.

Ni ovejas blancas ni perro
ni cayado ni amor tienes.

Pastor que vas.

Como una sombra de oro
en el trigal te disuelves.

Pastor que vienes.

2

La tierra estaba
amarilla.

Orillo, orillo,
pastorcillo.

Ni luna blanca
ni estrella lucían.

Orillo, orillo,
pastorcillo.

Vendimiadora morena
corta el llanto de la viña.

Orillo, orillo,
pastorcillo.

PALIMPSESTO
Corredor

POR los altos corredores
se pasean dos señores.

(Cielo
nuevo.
¡Cielo
azul!)

...se pasean dos señores
que antes fueron blancos monjes.

(Cielo
medio.
¡Cielo
morado!)

...se pasean dos señores
que antes fueron cazadores.

(Cielo
viejo.
¡Cielo
de oro!)

...se pasean dos señores
que antes fueron...
Noche.

4
CANCIONES
(1921 - 1924)

CANCIÓN DE LAS SIETE DONCELLAS
(Teoría del Arco Iris)

CANTAN las siete
doncellas.

(Sobre el cielo un arco
de ejemplos de ocaso).

Alma con siete voces
las siete doncellas.

(En el aire blanco,
siete largos pájaros).

Mueren las siete
doncellas.

(¿Por qué no han sido nueve?
¿Por qué no han sido veinte?)

El río las trae.
Nadie puede verlas.

CAZADOR

¡ALTO pinar!
Cuatro palomas por el aire van.

Cuatro palomas
vuelan y tornan.
Llevan heridas
sus cuatro sombras.

¡Bajo pinar!
Cuatro palomas en la tierra están.

AGOSTO

Agosto,
contraponientes
de melocotón y azúcar,
y el sol dentro de la tarde,
como el hueso de una fruta.

La panocha guarda intacta
su risa amarilla y dura.

Agosto.
Los niños comen
pan moreno y rica luna.

CORTARON TRES ÁRBOLES

Eran tres.
(Vino el día con sus hachas).
Eran dos.
(Alas rastreras de plata).
Era uno.
Era ninguno.
(Se quedó desnuda el agua).

CANCIONES PARA NIÑOS
CANCIÓN CHINA EN EUROPA

LA señorita
del abanico,
va por el puente
del fresco río.

Los caballeros
con sus levitas,
miran el puente
sin barandillas.

La señorita
del abanico
y los volantes
busca marido.

Los caballeros
están casados
con altas rubias
de idioma blanco.

Los grillos cantan
por el Oeste.

(La señorita,
va por lo verde).

Los grillos cantan
bajo las flores.

(Los caballeros,
van por el Norte).

EL lagarto está llorando.
La lagarta está llorando.

El lagarto y la lagarta
con delantalitos blancos.

Han perdido sin querer
su anillo de desposados.

¡Ay, su anillito de plomo,
ay, su anillito plomado!

Un cielo grande y sin gente
monta en su globo a los pájaros.

El sol, capitán redondo,
lleva un chaleco de raso.

¡Miradlos qué viejos son!
¡Qué viejos son los lagartos!

¡Ay, cómo lloran y lloran!,
¡ay! ¡ay! ¡cómo están llorando!

CANCIÓN TONTA

MAMÁ.
Yo quiero ser de plata.

Hijo,
tendrás mucho frío.

Mamá.
Yo quiero ser de agua.

Hijo,
tendrás mucho frío.

Mamá.
Bórdame en tu almohada.

¡Eso sí!
¡Ahora mismo!

ANDALUZAS

CANCIÓN DE JINETE
(1860)

En la luna negra
de los bandoleros,
cantan las espuelas.

Caballito negro.
¿Dónde llevas tu jinete muerto?

...Las duras espuelas
del bandido inmóvil
que perdió las riendas.

Caballito frío.
¡Qué perfume de flor de cuchillo!

En la luna negra,
sangraba el costado
de Sierra Morena.

Caballito negro.
¿Dónde llevas tu jinete muerto?

La noche espolea
sus negros ijares
clavándole estrellas.

Caballito frío.
¡Qué perfume de flor de cuchillo!

En la luna negra,
¡un grito! y el cuerno
largo de la hoguera.

Caballito negro.
¿Dónde llevas tu jinete muerto?

ADELINA DE PASEO

La mar no tiene naranjas,
ni Sevilla tiene amor.
Morena, qué luz de fuego.
Préstame tu quitasol.

Me pondrá la cara verde
—zumo de lima y limón—.
Tus palabras —pececillos—
nadarán alrededor.

La mar no tiene naranjas.
¡Ay amor!
¡Ni Sevilla tiene amor!

ZARZAMORA CON EL TRONCO GRIS

Zarzamora, con el tronco gris,
dame un racimo para mí.

Sangre y espinas. Acercaté.
Si tú me quieres, yo te querré.

Deja tu fruto de verde y sombra
sobre mi lengua, zarzamora.

¡Qué largo abrazo te daría
en la penumbra de mis espinas!

Zarzamora, ¿adónde vas?
A buscar amores que tú no me das.

MI NIÑA SE FUE A LA MAR...

Mi niña se fue a la mar,
a contar olas y chinas,
pero se encontró, de pronto,
con el río de Sevilla.

Entre adelfas y campanas
cinco barcos se mecían,
con los remos en el agua
y las velas en la brisa.

¿Quién mira dentro la torre
enjaezada, de Sevilla?
Cinco voces contestaban
redondas como sortijas.

El cielo monta gallardo
al río, de orilla a orilla.
En el aire sonrosado,
cinco anillos se mecían.

CANCIÓN DEL JINETE

Córdoba.
Lejana y sola.

Jaca negra, luna grande,
y aceitunas en mi alforja.
Aunque sepa los caminos
yo nunca llegaré a Córdoba.

Por el llano, por el viento,
jaca negra, luna roja.
La muerte me está mirando
desde las torres de Córdoba.

¡Ay qué camino tan largo!
¡Ay mi jaca valerosa!
¡Ay que la muerte me espera,
antes de llegar a Córdoba!

Córdoba.
Lejana y sola.

ES VERDAD

¡Ay qué trabajo me cuesta
quererte como te quiero!

Por tu amor me duele el aire,
el corazón
y el sombrero.

¿Quién me compraría a mí
este cintillo que tengo
y esta tristeza de hilo
blanco, para hacer pañuelos?

¡Ay, qué trabajo me cuesta
quererte como te quiero!

ARBOLÉ, ARBOLÉ...

ARBOLÉ, arbolé
seco y verdé.

La niña del bello rostro
está cogiendo aceituna.
El viento, galán de torres,
la prende por la cintura.
Pasaron cuatro jinetes,
sobre jacas andaluzas
con trajes de azul y verde,
con largas capas oscuras.
"Vente a Córdoba, muchacha".
La niña no los escucha.
Pasaron tres torerillos
delgaditos de cintura,
con trajes color naranja
y espadas de plata antigua.
"Vente a Sevilla, muchacha".
La niña no los escucha.
Cuando la tarde se puso
morada, con luz difusa,
pasó un joven que llevaba
rosas y mirtos de luna.
"Vente a Granada, muchacha".
Y la niña no lo escucha.
La niña del bello rostro
sigue cogiendo aceituna,
con el brazo gris del viento
ceñido por la cintura.

Arbolé, arbolé
seco y verdé.

GALÁN

Galán,
galancillo.
En tu casa queman tomillo.

Ni que vayas, ni que vengas,
con llave cierra la puerta.

Con llave de plata fina,
atada con una cinta.

En la cinta hay un letrero:
Mi corazón está lejos.

No des vueltas en mi calle.
¡Déjasela toda al aire!

Galán,
galancillo.
En tu casa queman tomillo.

UN RETRATO CON SOMBRA

JUAN RAMÓN JIMÉNEZ

En el blanco infinito
nieve, nardo y salina,
perdió su fantasía.

El color blanco, anda,
sobre una muda alfombra
de plumas de paloma.

Sin ojos ni ademán
inmóvil sufre un sueño.
Pero tiembla por dentro.

En el blanco infinito
¡qué pura y larga herida
dejó su fantasía!

En el blanco infinito.
Nieve. Nardo. Salina.

VENUS

Así te vi.

La joven muerta
en la concha de la cama,

desnuda de flor y brisa
surgía en la luz perenne.

Quedaba el mundo,
lirio de algodón y sombra,
asomado a los cristales
viendo el tránsito infinito.

La joven muerta,
surcaba el amor por dentro.
Entre la espuma de las sábanas
se perdía su cabellera.

JUEGOS

RIBEREÑAS
(Con acompañamiento de campanas)

Dicen que tienes cara
(balalín)
de luna llena.
(Balalán).
Cuántas campanas, ¿oyes?
(balalín)
No me dejan.
(¡Balalán!)
Pero tus ojos... ¡Ah!
(balalín)
...perdona, tus ojeras...
(balalán)
y esa risa de oro
(balalín)
y esa... no puedo, esa...
(balalán).

Su duro miriñaque
las campanas golpean.

¡Oh, tu encanto secreto... tu...
(balalín
lín
lín
lín...).

Dispensa.

A IRENE GARCÍA
(criada)

En el soto,
los alamillos bailan
uno con otro.
Y el arbolé,
con sus cuatro hojitas
baila también.

¡Irene!
Luego vendrán las lluvias
y las nieves.
Baila sobre lo verde.

Sobre lo verde verde,
que te acompaño yo.

¡Ay cómo corre el agua!
¡Ay mi corazón!

En el soto,
los alamillos bailan
uno con otro.
Y el arbolé,
con sus cuatro hojitas
baila también.

AL OÍDO DE UNA MUCHACHA

No quise.
No quise decirte nada,

Vi en tus ojos
dos arbolitos locos.
De brisa, de risa y de oro.

Se meneaban.
No quise,
no quise decirte nada.

CANCIÓN DEL MARIQUITA

EL mariquita se peina
en su peinador de seda.

Los vecinos se sonríen
en sus ventanas postreras.

El mariquita organiza
los bucles de su cabeza.

Por los patios gritan loros,
surtidores y planetas.

El mariquita se adorna
con un jazmín sinvergüenza.

La tarde se pone extraña
de peines y enredaderas.

El escándalo temblaba
rayado como una cebra.

¡Los mariquitas del Sur,
cantan en las azoteas!

ÁRBOL DE CANCIÓN

CAÑA de voz y gesto,
una vez y otra vez
tiembla sin esperanza
en el aire de ayer.

La niña suspirando
lo quería coger;
pero llegaba siempre
un minuto después.

¡Ay sol! ¡Ay luna, luna!
un minuto después.
Sesenta flores grises
enredaban sus pies.

Mira cómo se mece
una vez y otra vez,
virgen de flor y rama,
en el aire de ayer.

NARANJA Y LIMÓN

NARANJA y limón...

¡Ay de la niña
del mal amor!

Limón y naranja.

¡Ay de la niña,
de la niña blanca!

Limón.

(Cómo brillaba
el sol.)

Naranja.

(En las chinas
del agua.)

EROS CON BASTÓN

SUSTO EN EL COMEDOR

ERAS rosa.
Te pusiste alimonada.

¿Qué intención viste en mi mano
que casi te amenazaba?

Quise las manzanas verdes.
No las manzanas rosadas...

alimonada...

(Grulla dormida la tarde,
puso en tierra la otra pata).

LUCÍA MARTÍNEZ

Lucía Martínez.
Umbría de seda roja.

Tus muslos como la tarde
van de la luz a la sombra.
Los azabaches recónditos
oscurecen tus magnolias.

Aquí estoy, Lucía Martínez.
Vengo a consumir tu boca

y arrastrarte del cabello
en madrugada de conchas.

Porque quiero, y porque puedo.
Umbría de seda roja.

LA SOLTERA EN MISA

Bajo el Moisés del incienso,
adormecida.

Ojos de toro te miraban.
Tu rosario llovía.

Con ese traje de profunda seda,
no te muevas, Virginia.

Da los negros melones de tus pechos
al rumor de la misa.

INTERIOR

Ni quiero ser poeta,
ni galante.
¡Sábanas blancas donde te desmayes!

No conoces el sueño
ni el resplandor del día.
Como los calamares,
ciegas desnuda en tinta de perfume.
Carmen.

N U

Bajo la adelfa sin luna
estabas fea desnuda.

Tu carne buscó en mi mapa
el amarillo de España.

¡Qué fea estabas, francesa,
en lo amargo de la adelfa!

Roja y verde, eché a tu cuerpo
la capa de mi talento.

Verde y roja, roja y verde.
¡Aquí somos otra gente!

SERENATA

Por las orillas del río
se está la noche mojando
y en los pechos de Lolita
se mueren de amor los ramos.

Se mueren de amor los ramos.

La noche canta desnuda
sobre los puentes de marzo.
Lolita lava su cuerpo
con agua salobre y nardos.

Se mueren de amor los ramos.

La noche de anís y plata
relumbra por los tejados.
Plata de arroyos y espejos.
Anís de tus muslos blancos.

Se mueren de amor los ramos.

EN MÁLAGA

Suntuosa Leonarda.
Carne pontificial y traje blanco,
en las barandas de "Villa Leonarda".
Expuesta a los tranvías y a los barcos.
Negros torsos bañistas oscurecen
la ribera del mar. Oscilando
—concha y loto a la vez—
viene tu culo
de Ceres en retórica de mármol.

ESCENA

ALTAS torres.
Largos ríos.

HADA

Toma el anillo de bodas
que llevaron tus abuelos.
Cien manos, bajo la tierra,
lo están echando de menos.

YO

Voy a sentir en mis manos
una inmensa flor de dedos
y el símbolo del anillo.
No lo quiero.

Altas torres.
Largos ríos.

MALESTAR Y NOCHE

ABEJARUCO.
En tus árboles oscuros.
Noche de cielo balbuciente
y aire tartamudo.

Tres borrachos eternizan
sus gestos de vino y luto.
Los astros de plomo giran
sobre un pie.

              Abejaruco.
En tus árboles oscuros.

Dolor de sien oprimida
con guirnalda de minutos.
¿Y tu silencio? Los tres
borrachos cantan desnudos.
Pespunte de seda virgen
tu canción.

              Abejaruco.
Uço uco uco uco.

              Abejaruco.

DESPOSORIO

TIRAD ese anillo
al agua.

(La sombra apoya sus dedos
sobre mi espalda).

Tirad ese anillo. Tengo
más de cien años. ¡Silencio!

¡No preguntadme nada!

Tirad ese anillo
al agua.

DESPEDIDA

Si muero,
dejad el balcón abierto.

El niño come naranjas.
(Desde mi balcón lo veo).

El segador siega el trigo.
(Desde mi balcón lo siento).

¡Si muero,
dejad el balcón abierto!

AMOR

EN EL INSTITUTO
Y EN LA UNIVERSIDAD

La primera vez
no te conocí.
La segunda, sí.

Dime
si el aire te lo dice.
Mañanita fría
yo me puse triste,
y luego me entraron
ganas de reirme.
No te conocí.
Sí me conociste.
Sí te conocí.
No me conociste.
Ahora entre los dos
se alarga impasible,
un mes, como un
biombo de días grises.

La primera vez
no te conocí.
La segunda, sí.

MADRIGALILLO

CUATRO granados
tiene tu huerto.

(Toma mi corazón
nuevo).

Cuatro cipreses
tendrá tu huerto.

(Toma mi corazón
viejo).

Sol y luna.
Luego...
¡ni corazón,
ni huerto!

PRELUDIO

LAS alamedas se van,
pero dejan su reflejo.

Las alamedas se van,
pero nos dejan el viento.

Pero han dejado flotando
sobre los ríos, sus ecos.

El mundo de las luciérnagas
ha invadido mis recuerdos.

Y un corazón diminuto
me va brotando en los dedos.

SOBRE EL CIELO VERDE...

Sobre el cielo verde,
un lucero verde
¿qué ha de hacer, amor,
¡ay! sino perderse?

Las torres fundidas
con la niebla fría,
¿cómo han de mirarnos
con sus ventanitas?

Cien luceros verdes
sobre un cielo verde,
no ven a cien torres
blancas, en la nieve.

Y esta angustia mía
para hacerla viva,
he de decorarla
con rojas sonrisas.

CANCIONES PARA TERMINAR

DE OTRO MODO

La hoguera pone al campo de la tarde,
unas astas de ciervo enfurecido.
Todo el valle se tiende. Por sus lomos,
caracolea el vientecillo.

El aire cristaliza bajo el humo.
—Ojo de gato triste y amarillo—.
Yo, en mis ojos, paseo por las ramas.
Las ramas se pasean por el río.

Llegan a mí mis cosas esenciales.
Son estribillos de estribillos.
Entre los juncos y la baja-tarde,
¡qué raro que me llame Federico!

AGUA, ¿DÓNDE VAS?...

Agua, ¿dónde vas?
Riyendo voy por el río
a las orillas del mar.

Mar, ¿adónde vas?
Río arriba voy buscando
fuente donde descansar.

Chopo, y tú ¿qué harás?

No quiero decirte nada.
Yo... ¡temblar!

¿Qué deseo, qué no deseo,
por el río y por la mar?

(Cuatro pájaros sin rumbo
en el alto chopo están).

DOS MARINOS EN LA ORILLA

1

SE trajo en el corazón
un pez del Mar de la China.

A veces se ve cruzar
diminuto por sus ojos.

Olvida siendo marino
los bares y las naranjas.

Mira el agua.

2

Tenía la lengua de jabón
Lavó sus palabras y se calló.

Mundo plano, mar rizado,
cien estrellas y su barco.

Vio los balcones del Papa
y los pechos dorados de las cubanas.

Mira el agua.

5

ROMANCERO GITANO

(1924 - 1927)

ROMANCE DE LA LUNA, LUNA

La luna vino a la fragua
con su polisón de nardos.
El niño la mira, mira.
El niño la está mirando.
En el aire conmovido
mueve la luna sus brazos
y enseña, lúbrica y pura,
sus senos de duro estaño.
—Huye luna, luna, luna.
Si vinieran los gitanos,
harían con tu corazón
collares y anillos blancos.
—Niño, déjame que baile.
Cuando vengan los gitanos,
te encontrarán sobre el yunque
con los ojillos cerrados.

—Huye luna, luna, luna,
que ya siento sus caballos.
—Niño, déjame, no pises
mi blancor almidonado.
El jinete se acercaba
tocando el tambor del llano.
Dentro de la fragua el niño
tiene los ojos cerrados.

*

Por el olivar venían,
bronce y sueño, los gitanos.

Las cabezas levantadas
y los ojos entornados.

Cómo canta la zumaya,
¡ay, cómo canta en el árbol!
Por el cielo va la luna
con un niño de la mano.

Dentro de la fragua lloran
dando gritos, los gitanos.
El aire la vela, vela.
El aire la está velando.

PRECIOSA Y EL AIRE

Su luna de pergamino
Preciosa tocando viene
por un anfibio sendero
de cristales y laureles.
El silencio sin estrellas,
huyendo del sonsonete,
cae donde el mar bate y canta
su noche llena de peces.
En los picos de la sierra
los carabineros duermen
guardando las blancas torres
donde viven los ingleses.
Y los gitanos del agua
levantan por distraerse
glorietas de caracolas
y ramas de pino verde.

*

Su luna de pergamino
Preciosa tocando viene.

Al verla se ha levantado
el viento que nunca duerme.
San Cristobalón desnudo,
lleno de lenguas celestes,
mira a la niña tocando
una dulce gaita ausente.

—Niña, deja que levante
tu vestido para verte.
Abre en mis dedos antiguos
la rosa azul de tu vientre.

*

Preciosa tira el pandero
y corre sin detenerse.
El viento-hombrón la persigue
con una espada caliente.

Frunce su rumor el mar.
Los olivos palidecen.
Cantan las flautas de umbría
y el liso gong de la nieve.

¡Preciosa, corre, Preciosa,
que te coge el viento verde!
¡Preciosa, corre, Preciosa!
¡Míralo por dónde viene!
Sátiro de estrellas bajas
con sus lenguas relucientes.

*

Preciosa, llena de miedo,
entra en la casa que tiene,
más arriba de los pinos,
el cónsul de los ingleses.

Asustados por los gritos
tres carabineros vienen,

sus negras capas ceñidas
y los gorros en las sienes.

El inglés da a la gitana
un vaso de tibia leche,
y una copa de ginebra
que Preciosa no se bebe.

Y mientras cuenta, llorando,
su aventura a aquella gente,
en las tejas de pizarra
el viento, furioso, muerde.

REYERTA

EN la mitad del barranco
las navajas de Albacete,
bellas de sangre contraria,
relucen como los peces.
Una dura luz de naipe
recorta en el agrio verde
caballos enfurecidos
y perfiles de jinetes.
En la copa de un olivo
lloran dos viejas mujeres.
El toro de la reyerta
se sube por las paredes.
Ángeles negros traían
pañuelos y agua de nieve.
Ángeles con grandes alas
de navajas de Albacete.
Juan Antonio el de Montilla
rueda muerto la pendiente,
su cuerpo lleno de lirios
y una granada en las sienes.

Ahora monta cruz de fuego,
carretera de la muerte.

*

El juez con guardia civil,
por los olivares viene.
Sangre resbalada gime
muda canción de serpiente.
—Señores guardias civiles:
aquí pasó lo de siempre.
Han muerto cuatro romanos
y cinco cartagineses.

*

La tarde loca de higueras
y de rumores calientes
cae desmayada en los muslos
heridos de los jinetes.
Y ángeles negros volaban
por el aire del poniente.
Ángeles de largas trenzas
y corazones de aceite.

ROMANCE SONÁMBULO

Verde que te quiero verde.
Verde viento. Verdes ramas.
El barco sobre la mar
y el caballo en la montaña.
Con la sombra en la cintura
ella sueña en su baranda,
verde carne, pelo verde,
con ojos de fría plata.
Verde que te quiero verde.

Bajo la luna gitana,
las cosas la están mirando
y ella no puede mirarlas.

*

Verde que te quiero verde.
Grandes estrellas de escarcha
vienen con el pez de sombra
que abre el camino del alba.
La higuera frota su viento
con la lija de sus ramas,
y el monte, gato garduño,
eriza sus pitas agrias.
Pero ¿quién vendrá? ¿Y por dónde...?
Ella sigue en su baranda,
verde carne, pelo verde,
soñando en la mar amarga.

*

—Compadre, quiero cambiar
mi caballo por su casa,
mi montura por su espejo,
mi cuchillo por su manta.
Compadre, vengo sangrando,
desde los puertos de Cabra.
—Si yo pudiera, mocito,
este trato se cerraba.
Pero yo ya no soy yo,
ni mi casa es ya mi casa.
—Compadre, quiero morir
decentemente en mi cama.
De acero, si puede ser,
con las sábanas de holanda.
¿No ves la herida que tengo
desde el pecho a la garganta?
—Trescientas rosas morenas
lleva tu pechera blanca.

Tu sangre rezuma y huele
alrededor de tu faja.
Pero yo ya no soy yo,
ni mi casa es ya mi casa.
—Dejadme subir al menos
hasta las altas barandas,
¡dejadme subir!, dejadme,
hasta las verdes barandas.
Barandales de la luna
por donde retumba el agua.

*

Ya suben los dos compadres
hacia las altas barandas.
Dejando un rastro de sangre.
Dejando un rastro de lágrimas.
Temblaban en los tejados
farolillos de hojalata.
Mil panderos de cristal
herían la madrugada.

*

Verde que te quiero verde,
verde viento, verdes ramas.
Los dos compadres subieron.
El largo viento dejaba
en la boca un raro gusto
de hiel, de menta y de albahaca.
—¡Compadre! ¿Dónde está, dime,
dónde está tu niña amarga?
¡Cuántas veces te esperó!
¡Cuántas veces te esperara,
cara fresca, negro pelo,
en esta verde baranda!
Sobre el rostro del aljibe
se mecía la gitana.

Verde carne, pelo verde,
con ojos de fría plata.
Un carámbano de luna
la sostiene sobre el agua.
La noche se puso íntima
como una pequeña plaza.
Guardias civiles borrachos
en la puerta golpeaban.
Verde que te quiero verde.
Verde viento. Verdes ramas.
El barco sobre la mar.
Y el caballo en la montaña.

LA MONJA GITANA

SILENCIO de cal y mirto.
Malvas en las hierbas finas.
La monja borda alhelíes
sobre una tela pajiza.
Vuelan en la araña gris
siete pájaros del prisma.
La iglesia gruñe a lo lejos
como un oso p nza arriba.
¡Qué bien borda! ¡Con qué gracia!
Sobre la tela pajiza
ella quisiera bordar
flores de su fantasía.
¡Qué girasol! ¡Qué magnolia
de lentejuelas y cintas!
¡Qué azafranes y qué lunas
en el mantel de la misa!
Cinco toronjas se endulzan
en la cercana cocina.
Las cinco llagas de Cristo

cortadas en Almería.
Por los ojos de la monja
galopan dos caballistas.
Un rumor último y sordo
le despega la camisa,
y, al mirar nubes y montes
en las yertas lejanías,
se quiebra su corazón
de azúcar y yerbaluisa.
¡Qué, qué llanura empinada
con veinte soles arriba!
¡Qué ríos puestos de pie
vislumbra su fantasía!
Pero sigue con sus flores,
mientras que de pie, en la brisa,
la luz juega el ajedrez
alto de la celosía.

LA CASADA INFIEL

Y QUE yo me la llevé al río
creyendo que era mozuela,
pero tenía marido.

Fue la noche de Santiago
y casi por compromiso.
Se apagaron los faroles
y se encendieron los grillos.
En las últimas esquinas
toqué sus pechos dormidos,
y se me abrieron de pronto
como ramos de jacintos.
El almidón de su enagua
me sonaba en el oído
como una pieza de seda
rasgada por diez cuchillos.

Sin luz de plata en sus copas
los árboles han crecido,
y un horizonte de perros
ladra muy lejos del río.

*

Pasadas las zarzamoras,
los juncos y los espinos,
bajo su mata de pelo
hice un hoyo sobre el limo.
Yo me quité la corbata.
Ella se quitó el vestido.
Yo, el cinturón con revólver.
Ella, sus cuatro corpiños.
Ni nardos ni caracolas
tienen el cutis tan fino,
ni los cristales con luna
relumbran con ese brillo.
Sus muslos se me escapaban
como peces sorprendidos,
la mitad llenos de lumbre,
la mitad llenos de frío.
Aquella noche corrí
el mejor de los caminos,
montado en potra de nácar
sin bridas y sin estribos.
No quiero decir, por hombre,
las cosas que ella me dijo.
La luz del entendimiento
me hace ser muy comedido.
Sucia de besos y arena,
yo me la llevé del río.
Con el aire se batían
las espadas de los lirios.

Me porté como quien soy.
Como un gitano legítimo.
La regalé un costurero

grande, de raso pajizo,
y no quise enamorarme
porque teniendo marido
me dijo que era mozuela
cuando la llevaba al río.

ROMANCE DE LA PENA NEGRA

Las piquetas de los gallos
cavan buscando la aurora,
cuando por el monte oscuro
baja Soledad Montoya.
Cobre amarillo, su carne
huele a caballo y a sombra.
Yunques ahumados, sus pechos,
gimen canciones redondas.
—Soledad, ¿por quién preguntas
sin compaña y a estas horas?
—Pregunte por quien pregunte,
dime, ¿a ti qué se te importa?
Vengo a buscar lo que busco,
mi alegría y mi persona.
—Soledad de mis pesares,
caballo que se desboca
al fin encuentra la mar
y se lo tragan las olas.
—No me recuerdes el mar
que la pena negra brota
en las tierras de aceituna
bajo el rumor de las hojas.
—¡Soledad, qué pena tienes!
¡Qué pena tan lastimosa!
Lloras zumo de limón
agrio de espera y de boca.
—¡Qué pena tan grande! Corro
mi casa como una loca,

mis dos trenzas por el suelo,
de la cocina a la alcoba.
¡Qué pena! Me estoy poniendo
de azabache carne y ropa.
¡Ay, mis camisas de hilo!
¡Ay, mis muslos de amapola!
—Soledad, lava tu cuerpo
con agua de las alondras,
y deja tu corazón
en paz, Soledad Montoya.

*

Por abajo canta el río:
volante de cielo y hojas.
Con flores de calabaza
la nueva luz se corona.
¡Oh pena de los gitanos!
Pena limpia y siempre sola.
¡Oh pena de cauce oculto
y madrugada remota!

SAN MIGUEL

(GRANADA)

SE ven desde las barandas,
por el monte, monte, monte,
mulos y sombras de mulos
cargados de girasoles.

Sus ojos en las umbrías
se empañan de inmensa noche.
En los recodos del aire
cruje la aurora salobre.

Un cielo de mulos blancos
cierra sus ojos de azogue

dando a la quieta penumbra
un final de corazones.
Y el agua se pone fría
para que nadie la toque.
Agua loca y descubierta
por el monte, monte, monte.

*

San Miguel, lleno de encajes
en la alcoba de su torre,
enseña sus bellos muslos,
ceñidos por los faroles.
Arcángel domesticado
en el gesto de las doce,
finge una cólera dulce
de plumas y ruiseñores.
San Miguel canta en los vidrios;
efebo de tres mil noches,
fragante de agua colonia
y lejano de las flores.

*

El mar baila por la playa
un poema de balcones.
Las orillas de la luna
pierden juncos, ganan voces.
Vienen manolas comiendo
semillas de girasoles,
los culos grandes y ocultos
como planetas de cobre.
Vienen altos caballeros
y damas de triste porte,
morenas por la nostalgia
de un ayer de ruiseñores.
Y el obispo de Manila,
ciego de azafrán y pobre,

dice misa con dos filos
para mujeres y hombres.

*

San Miguel se estaba quieto
en la alcoba de su torre,
con las enaguas cuajadas
de espejitos y entredoses.

San Miguel, rey de los globos
y de los números nones,
en el primor berberisco
de gritos y miradores.

SAN RAFAEL
(CÓRDOBA)

1

Coches cerrados llegaban
a las orillas de juncos
donde las ondas alisan
romano torso desnudo.
Coches que el Guadalquivir
tiende en su cristal maduro,
entre láminas de flores
y resonancias de nublos.
Los niños tejen y cantan
el desengaño del mundo,
cerca de los viejos coches
perdidos en el nocturno.
Pero Córdoba no tiembla
bajo el misterio confuso,
pues si la sombra levanta
la arquitectura del humo,

un pie de mármol afirma
su casto fulgor enjuto.
Pétalos de lata débil
recaman los grises puros
de la brisa, desplegada
sobre los arcos de triunfo.
Y mientras el puente sopla
diez rumores de Neptuno,
vendedores de tabaco
huyen por el roto muro.

2

Un solo pez en el agua
que a las dos Córdobas junta:
blanda Córdoba de juncos.
Córdoba de arquitectura.
Niños de cara impasible
en la orilla se desnudan,
aprendices de Tobías
y Merlines de cintura,
para fastidiar al pez
en irónica pregunta
si quiere flores de vino
o saltos de media luna.
Pero el pez, que dora el agua
y los mármoles enluta,
les da lección y equilibrio
de solitaria columna.
El Arcángel, aljamiado
de lentejuelas oscuras,
en el mitin de las ondas
buscaba rumor y cuna.

*

Un solo pez en el agua.
Dos Córdobas de hermosura.
Córdoba quebrada en chorros.
Celeste Córdoba enjuta.

SAN GABRIEL

(SEVILLA)

1

Un bello niño de junco,
anchos hombros, fino talle,
piel de nocturna manzana,
boca triste y ojos grandes,
nervio de plata caliente,
ronda la desierta calle.
Sus zapatos de charol
rompen las dalias del aire
con los dos ritmos que cantan
breves lutos celestiales.
En la ribera del mar
no hay palma que se le iguale,
ni emperador coronado,
ni lucero caminante.
Cuando la cabeza inclina
sobre su pecho de jaspe,
la noche busca llanuras
porque quiere arrodillarse.
Las guitarras suenan solas
para San Gabriel Arcángel,
domador de palomillas
y enemigo de los sauces.
—San Gabriel: el niño llora
en el vientre de su madre.
No olvides que los gitanos
te regalaron el traje.

2

Anunciación de los Reyes,
bien lunada y mal vestida,

abre la puerta al lucero
que por la calle venía.
El Arcángel San Gabriel,
entre azucena y sonrisa,
bisnieto de la Giralda,
se acercaba de visita.
En su chaleco bordado
grillos ocultos palpitan.
Las estrellas de la noche
se volvieron campanillas.
—San Gabriel: Aquí me tienes
con tres clavos de alegría.
Tu fulgor abre jazmines
sobre mi cara encendida.
—Dios te salve, Anunciación.
Morena de maravilla.
Tendrás un niño más bello
que los tallos de la brisa.
—¡Ay, San Gabriel de mis ojos!
¡Gabrielillo de mi vida!
Para sentarte yo sueño
un sillón de clavellinas.
—Dios te salve, Anunciación,
bien lunada y mal vestida.
Tu niño tendrá en el pecho
un lunar y tres heridas.
—¡Ay, San Gabriel que reluces!
¡Gabrielillo de mi vida!
En el fondo de mis pechos
ya nace la leche tibia.
—Dios te salve, Anunciación.
Madre de cien dinastías.
Áridos lucen tus ojos,
paisajes de caballista.

*

El niño canta en el seno
de Anunciación sorprendida.

Tres balas de almendra verde
tiemblan en su vocecita.

Ya San Gabriel en el aire
por una escala subía.
Las estrellas de la noche
se volvieron siemprevivas.

PRENDIMIENTO DE ANTOÑITO EL
CAMBORIO EN EL CAMINO DE SEVILLA

Antonio Torres Heredia,
hijo y nieto de Camborios,
con una vara de mimbre
va a Sevilla a ver los toros.
Moreno de verde luna,
anda despacio y garboso.
Sus empavonados bucles
le brillan entre los ojos.
A la mitad del camino
cortó limones redondos,
y los fue tirando al agua
hasta que la puso de oro.
Y a la mitad del camino,
bajo las ramas de un olmo,
guardia civil caminera
lo llevó codo con codo.

*

El día se va despacio,
la tarde colgada a un hombro,
dando una larga torera
sobre el mar y los arroyos.
Las aceitunas aguardan
la noche de Capricornio,

y una corta brisa, ecuestre,
salta los montes de plomo.
Antonio Torres Heredia,
hijo y nieto de Camborios,
viene sin vara de mimbre
entre los cinco tricornios.

—Antonio. ¿quién eres tú?
Si te llamaras Camborio,
hubieras hecho una fuente
de sangre con cinco chorros.
Ni tú eres hijo de nadie,
ni legítimo Camborio.
¡Se acabaron los gitanos
que iban por el monte solos!
Están los viejos cuchillos
tiritando bajo el polvo.

*

A las nueve de la noche
lo llevan al calabozo,
mientras los guardias civiles
beben limonada todos.
Y a las nueve de la noche
le cierran el calabozo,
mientras el cielo reluce
como la grupa de un potro.

MUERTE DE ANTOÑITO EL CAMBORIO

VOCES de muerte sonaron
cerca del Guadalquivir.
Voces antiguas que cercan
voz de clavel varonil.
Les clavó sobre las botas

mordiscos de jabalí.
En la lucha daba saltos
jabonados de delfín.
Bañó con sangre enemiga
su corbata carmesí,
pero eran cuatro puñales
y tuvo que sucumbir.
Cuando las estrellas clavan
rejones al agua gris,
cuando los erales sueñan
verónicas de alhelí,
voces de muerte sonaron
cerca del Guadalquivir.

*

—Antonio Torres Heredia,
Camborio de dura crin,
moreno de verde luna,
voz de clavel varonil:
¿quién te ha quitado la vida
cerca del Guadalquivir?
—Mis cuatro primos Heredias,
hijos de Benamejí.
Lo que en otros no envidiaban,
ya lo envidiaban en mí.
Zapatos color corinto,
medallones de marfil,
y este cutis amasado
con aceituna y jazmín.
—¡Ay, Antoñito el Camborio,
digno de una emperatriz!
Acuérdate de la Virgen
porque te vas a morir.
—¡Ay, Federico García,
llama a la Guardia civil!
Ya mi talle se ha quebrado
como caña de maíz.

Tres golpes de sangre tuvo
y se murió de perfil.
Viva moneda que nunca
se volverá a repetir.
Un ángel marchoso pone
su cabeza en un cojín.
Otros de rubor cansado
encendieren un candil.
Y cuando los cuatro primos
llegan a Benamejí,
voces de muerte cesaron
cerca del Guadalquivir.

MUERTO DE AMOR

¿QUÉ es aquello que reluce
por los altos corredores?
—Cierra la puerta, hijo mío,
acaban de dar las once.
—En mis ojos, sin querer,
relumbran cuatro faroles.
—Será que la gente aquélla
estará fregando el cobre.

*

Ajo de agónica plata
la luna menguante, pone
cabelleras amarillas
a las amarillas torres.
La noche llama temblando
al cristal de los balcones,
perseguida por los mil
perros que no la conocen,
y un olor de vino y ámbar
viene de los corredores.

Brisas de caña mojada
y rumor de viejas voces
resonaban por el arco
roto de la medianoche.
Bueyes y rosas dormían.
Sólo por los corredores
las cuatro luces clamaban
con el furor de San Jorge.
Tristes mujeres del valle
bajaban su sangre de hombre,
tranquila de flor cortada
y amarga de muslo joven.
Viejas mujeres del río
lloraban al pie del monte
un minuto intransitable
de cabelleras y nombres.
Fachadas de cal ponían
cuadrada y blanca la noche.
Serafines y gitanos
tocaban acordeones.
—Madre, cuando yo me muera
que se enteren los señores.
Pon telegramas azules
que vayan del Sur al Norte.
Siete gritos, siete sangres,
siete adormideras dobles
quebraron opacas lunas
en los oscuros salones.
Lleno de manos cortadas
y coronitas de flores,
el mar de los juramentos
resonaba, no sé dónde.
Y el cielo daba portazos
al brusco rumor del bosque,
mientras clamaban las luces
en los altos corredores.

ROMANCE DEL EMPLAZADO

¡MI soledad sin descanso!
Ojos chicos de mi cuerpo
y grandes de mi caballo
no se cierran por la noche
ni miran al otro lado,
donde se aleja tranquilo
un sueño de trece barcos.
Sino que, limpios y duros
escuderos desvelados,
mis ojos miran un norte
de metales y peñascos,
donde mi cuerpo sin venas
consulta naipes helados.

*

Los densos bueyes del agua
embisten a los muchachos
que se bañan en las lunas
de sus cuernos ondulados.
Y los martillos cantaban
sobre los yunques sonámbulos
el insomnio del jinete
y el insomnio del caballo.

*

El veinticinco de junio
le dijeron a el Amargo:
—Ya puedes cortar, si gustas,
las adelfas de tu patio.
Pinta una cruz en la puerta
y pon tu nombre debajo,
porque cicutas y ortigas
nacerán en tu costado,
y agujas de cal mojada
te morderán los zapatos.

Será de noche, en lo oscuro,
por los montes imantados,
donde los bueyes del agua
beben los juncos soñando.
Pide luces y campanas.
Aprende a cruzar las manos
y gusta los aires fríos
de metales y peñascos.
Porque dentro de dos meses
yacerás amortajado.

*

Espadón de nebulosa
mueve en el aire Santiago.
Grave silencio, de espalda,
manaba el cielo combado.

*

El veinticinco de junio
abrió sus ojos Amargo,
y el veinticinco de agosto
se tendió para cerrarlos.
Hombres bajaban la calle
para ver al emplazado,
que fijaba sobre el muro
su soledad con descanso.
Y la sábana impecable,
de duro acento romano,
daba equilibrio a la muerte
con las rectas de sus paños.

ROMANCE DE LA GUARDIA CIVIL
ESPAÑOLA

Los caballos negros son.
Las herraduras son negras.
Sobre las capas relucen

manchas de tinta y de cera.
Tienen, por eso no lloran,
de plomo las calaveras.
Con el alma de charol
vienen por la carretera.
Jorobados y nocturnos,
por donde animan ordenan
silencios de goma oscura
y miedos de fina arena.
Pasan, si quieren pasar,
y ocultan en la cabeza
una vaga astronomía
de pistolas inconcretas.

*

¡Oh ciudad de los gitanos!
En las esquinas, banderas.
La luna y la calabaza
con las guindas en conserva.
¡Oh ciudad de los gitanos!
¿Quién te vio y no te recuerda?
Ciudad de dolor y almizcle,
con las torres de canela.
Cuando llegaba la noche,
noche que noche nochera,
los gitanos en sus fraguas
forjaban soles y flechas.
Un caballo malherido
llamaba a todas las puertas.
Gallos de vidrio cantaban
por Jerez de la Frontera.
El viento vuelve desnudo
la esquina de la sorpresa,
en la noche platinoche,
noche que noche nochera.

*

La Virgen y San José
perdieron sus castañuelas,

y buscan a los gitanos
para ver si las encuentran.
La Virgen viene vestida
con un traje de alcaldesa,
de papel de chocolate
con los collares de almendras.
San José mueve los brazos
bajo una capa de seda.
Detrás va Pedro Domecq
con tres sultanes de Persia.
La media luna soñaba
un éxtasis de cigüeña.
Estandartes y faroles
invaden las azoteas.
Por los espejos sollozan
bailarinas sin caderas.
Agua y sombra, sombra y agua
por Jerez de la Frontera.

*

¡Oh ciudad de los gitanos!
En las esquinas, banderas.
Apaga tus verdes luces
que viene la benemérita.
¡Oh ciudad de los gitanos!
¿Quién te vio y no te recuerda?
Dejadla lejos del mar,
sin peines para sus crenchas.

*

Avanzan de dos en fondo
a la ciudad de la fiesta.
Un rumor de siemprevivas
invade las cartucheras.
Avanzan de dos en fondo.
Doble nocturno de tela.
El cielo, se les antoja
una vitrina de espuelas.

La ciudad, libre de miedo,
multiplicaba sus puertas.
Cuarenta guardias civiles
entran a saco por ellas.
Los relojes se pararon,
y el coñac de las botellas
se disfrazó de noviembre
para no infundir sospechas.
Un vuelo de gritos largos
se levantó en las veletas.
Los sables cortan las brisas
que los cascos atropellan.
Por las calles de penumbra
huyen las gitanas viejas
con los caballos dormidos
y las orzas de monedas.
Por las calles empinadas
suben las capas siniestras,
dejando detrás fugaces
remolinos de tijeras.
En el portal de Belén
los gitanos se congregan.
San José, lleno de heridas,
amortaja a una doncella.
Tercos fusiles agudos
por toda la noche suenan.
La Virgen cura a los niños
con salivilla de estrella.
Pero la Guardia civil
avanza sembrando hogueras,
donde joven y desnuda
la imaginación se quema.
Rosa la de los Camborios
gime sentada en su puerta
con sus dos pechos cortados
puestos en una bandeja.
Y otras muchachas corrían
perseguidas por sus trenzas,

en un aire donde estallan
rosas de pólvora negra.
Cuando todos los tejados
eran surcos en la tierra,
el alba meció sus hombros
en largo perfil de piedra.

*

¡Oh, ciudad de los gitanos!
La Guardia civil se aleja
por un túnel de silencio
mientras la llamas te cercan.

¡Oh, ciudad de los gitanos!
¿Quién te vio y no te recuerda?
Que te busquen en mi frente.
Juego de luna y arena.

UN ROMANCE HISTÓRICO

MARTIRIO DE SANTA OLALLA

1
PANORAMA DE MÉRIDA

Por la calle brinca y corre
caballo de larga cola,
mientras juegan o dormitan
viejos soldados de Roma.
Medio monte de Minervas
abre sus brazos sin hojas.
Agua en vilo redoraba
las aristas de las rocas.
Noche de torsos yacentes
y estrellas de nariz rota
aguarda grietas del alba
para derrumbarse toda.
De cuando en cuando sonaban
blasfemias de cresta roja.
Al gemir, la santa niña
quiebra el cristal de las copas.
La rueda afila cuchillos
y garfios de aguda comba.
Brama el toro de los yunques,
y Mérida se corona
de nardos casi despiertos
y tallos de zarzamora.

2
EL MARTIRIO

Flora desnuda se sube
por escalerillas de agua.

El cónsul pide bandeja
para los senos de Olalla.
Un chorro de venas verdes
le brota de la garganta.
Su sexo tiembla enredado
como un pájaro en las zarza
Por el suelo, ya sin norma,
brincan sus manos cortadas
que aún pueden cruzarse en tenue
oración decapitada.
Por los rojos agujeros
donde sus pechos estaban
se ven cielos diminutos
y arroyos de leche blanca.
Mil arbolillos de sangre
le cubren toda la espalda
y oponen húmedos troncos
al bisturí de las llamas.
Centuriones amarillos
de carne gris, desvelada,
llegan al cielo sonando
sus armaduras de plata.
Y mientras vibra confusa
pasión de crines y espadas,
el cónsul porta en bandeja
senos ahumados de Olalla.

3
INFIERNO Y GLORIA

Nieve ondulada reposa.
Olalla pende del árbol.
Su desnudo de carbón
tizna los aires helados.
Noche tirante reluce.
Olalla muerta en el árbol.
Tinteros de las ciudades
vuelcan la tinta despacio.
Negros maniquís de sastre

cubren la nieve del campo
en largas filas que gimen
su silencio mutilado.
Nieve partida comienza.
Olalla blanca en el árbol.
Escuadras de níquel juntan
los picos en su costado.

*

Una custodia reluce
sobre los cielos quemados
entre gargantas de arroyo
y ruiseñores en ramos.
¡Saltan vidrios de colores!
Olalla blanca en lo blanco.
Ángeles y serafines
dicen: Santo, Santo, Santo.

6

ODA A SALVADOR DALÍ

(1926)

Una rosa en el alto jardín que tú deseas.
Una rueda en la pura sintaxis del acero.
Desnuda la montaña de niebla impresionista.
Los grises oteando sus balaustradas últimas.

Los pintores modernos, en sus blancos estudios,
cortan la flor aséptica de la raíz cuadrada.
En las aguas del Sena un *ice-berg* de mármol
enfría las ventanas y disipa las yedras.

El hombre pisa fuerte las calles enlosadas.
Los cristales esquivan la magia del reflejo.
El Gobierno ha cerrado las tiendas de perfume.
La máquina eterniza sus compases binarios.

Una ausencia de bosques, biombos y entrecejos,
yerra por los tejados de las casas antiguas.
El aire pulimenta su prisma sobre el mar
y el horizonte sube como un gran acueducto.

Marineros que ignoran el vino y la penumbra,
decapitan sirenas en los mares de plomo.
La Noche, negra estatua de la prudencia, tiene
el espejo redondo de la luna en la mano.

Un deseo de forma y límites nos gana.
Viene el hombre que mira con el metro amarillo.
Venus es una blanca naturaleza muerta
y los coleccionistas de mariposas huyen.

Cadaqués, en el fiel del agua y la colina,
eleva escalinatas y oculta caracolas.

Las flautas de madera pacifican el aire.
Un viejo dios silvestre da frutas a los niños.

Sus pescadores duermen, sin ensueño, en la arena.
En alta mar les sirve de brújula una rosa.
El horizonte virgen de pañuelos heridos,
junta los grandes vidrios del pez y de la luna.

Una dura corona de blancos bergantines
ciñe frentes amargas y cabellos de arena.
Las sirenas convencen, pero no sugestionan,
y salen si mostramos un vaso de agua dulce.

*

¡Oh, Salvador Dalí de voz aceitunada!
No elogio tu imperfecto pincel adolescente
ni tu color que ronda la color de tu tiempo,
pero alabo tus ansias de eterno limitado.

Alma higiénica, vives sobre mármoles nuevos.
Huyes la oscura selva de formas increíbles.
Tu fantasía llega donde llegan tus manos,
y gozas el soneto del mar en tu ventana.

El mundo tiene sordas penumbras y desorden,
en los primeros términos que el humano frecuenta.
Pero ya las estrellas, ocultando paisajes,
señalan el esquema perfecto de sus órbitas.

La corriente del tiempo se remansa y ordena
en las formas numéricas de un siglo y otro siglo.
Y la Muerte vencida se refugia temblando
en el círculo estrecho del minuto presente.

Al coger tu paleta, con un tiro en un ala,
pides la luz que anima la copa del olvido.
Ancha luz de Minerva, constructora de andamios,
donde no cabe el sueño ni su flora inexacta.

Pides la luz antigua que se queda en la frente,
sin bajar a la boca ni al corazón del hombre.
Luz que temen las vides entrañables de Baco
y la fuerza sin orden que lleva el agua curva.

Haces bien en poner banderines de aviso,
en el límite oscuro que relumbra de noche.
Como pintor no quieres que te ablande la forma
el algodón cambiante de una nube imprevista.

El pez en la pecera y el pájaro en la jaula.
No quieres inventarlos en el mar o en el viento.
Estilizas o copias después de haber mirado
con honestas pupilas sus cuerpecillos ágiles.

Amas una materia definida y exacta
donde el hongo no pueda poner su campamento.
Amas la arquitectura que construye en lo ausente
y admites la bandera como una simple broma.

Dice el compás de acero su corto verso elástico.
Desconocidas islas desmiente ya la esfera.
Dice la línea recta su vertical esfuerzo
y los sabios cristales cantan sus geometrías.

Pero también la rosa del jardín donde vives.
¡Siempre la rosa, siempre, norte y sur de nosotros!
Tranquila y concentrada como una estatua ciega,
ignorante de esfuerzos soterrados que causa.

Rosa pura que limpia de artificios y croquis
y nos abre las alas tenues de la sonrisa
(mariposa clavada que medita su vuelo).
Rosa del equilibrio sin dolores buscados.
¡Siempre la rosa!

*

¡Oh, Salvador Dalí de voz aceitunada!
Digo lo que me dicen tu persona y tus cuadros.

No alabo tu imperfecto pincel adolescente,
pero canto la firme dirección de tus flechas.

Canto tu bello esfuerzo de luces catalanas,
tu amor a lo que tiene explicación posible.
Canto tu corazón astronómico y tierno,
de baraja francesa y sin ninguna herida.

Canto el ansia de estatua que persigues sin tregua,
el miedo a la emoción que te aguarda en la calle.
Canto la sirenita de la mar que te canta
montada en bicicleta de corales y conchas.

Pero, ante todo, canto un común pensamiento
que nos une en las horas oscuras y doradas.
No es el Arte, la luz que nos ciega los ojos.
Es primero el amor, la amistad o la esgrima.

Es primero que el cuadro que paciente dibujas
el seno de Teresa, la de cutis insomne,
el apretado bucle de Matilde la ingrata,
nuestra amistad pintada como un juego de ocas.

Huellas dactilográficas de sangre sobre el oro
rayen el corazón de Cataluña eterna.
Estrellas como puños sin halcón te relumbren,
mientras que tu pintura y tu vida florecen.

No mires la clepsidra con alas membranosas,
ni la dura guadaña de las alegorías.
Viste y desnuda siempre tu pincel en el aire,
frente a la mar poblada de barcos y marinos.

7
POETA EN NUEVA YORK
(1929 - 1930)

1

POEMA DE LA SOLEDAD EN
COLUMBIA UNIVERSITY

TU INFANCIA EN MENTÓN

> *Sí, tu niñez ya fábula de fuentes.*
> JORGE GUILLÉN.

Sí, tu niñez ya fábula de fuentes.
El tren y la mujer que llena el cielo.
Tu soledad esquiva en los hoteles
y tu máscara pura de otro signo.
Es la niñez del mar y tu silencio
donde los sabios vidrios se quebraban.
Es tu yerta ignorancia donde estuvo
mi torso limitado por el fuego.
Norma de amor te di, hombre de Apolo,
llanto con ruiseñor enajenado,
pero, pasto de ruina, te afilabas
para los breves sueños indecisos.
Pensamiento de enfrente, luz de ayer,
índices y señales del acaso.
Tu cintura de arena sin sosiego
atiende sólo rastros que no escalan.
Pero yo he de buscar por los rincones
tu alma tibia sin ti que no te entiende,
con el dolor de Apolo detenido
con que he roto la máscara que llevas.
Allí, león, allí, furia del cielo,
te dejaré pacer en mis mejillas;
allí, caballo azul de mi locura,
pulso de nebulosa y minutero,

he de buscar las piedras de alacranes
y los vestidos de tu madre niña,
llanto de medianoche y paño roto
que quitó luna de la sien del muerto.
Sí, tu niñez ya fábula de fuentes.
Alma extraña de mi hueco de venas,
te he de buscar pequeña y sin raíces.
¡Amor de siempre, amor, amor de nunca!
¡Oh, sí! Yo quiero. ¡Amor, amor! Dejadme.
No me tapen la boca los que buscan
espigas de Saturno por la nieve
o castran animales por un cielo,
clínica y selva de la anatomía.
Amor, amor, amor. Niñez del mar.
Tu alma tibia sin ti que no te entiende.
Amor, amor, un vuelo de la corza
por el pecho sin fin de la blancura.
Y tu niñez, amor, y tu niñez.
El tren y la mujer que llena el cielo.
Ni tú, ni yo, ni el aire, ni las hojas.
Sí, tu niñez ya fábula de fuentes.

2

LOS NEGROS

EL REY DE HARLEM

Con una cuchara
arrancaba los ojos a los cocodrilos
y golpeaba el trasero de los monos.
Con una cuchara.

Fuego de siempre dormía en los pedernales,
y los escarabajos borrachos de anís
olvidaban el musgo de las aldeas.

Aquel viejo cubierto de setas
iba al sitio donde lloraban los negros
mientras crujía la cuchara del rey
y llegaban los tanques de agua podrida.

Las rosas huían por los filos
de las últimas curvas del aire,
y en los montones de azafrán
los niños machacaban pequeñas ardillas
con un rubor de frenesí manchado.

Es preciso cruzar los puentes
y llegar al rubor negro
para que el perfume de pulmón
nos golpee las sienes con su vestido
de caliente piña.

Es preciso matar al rubio vendedor de aguardiente,
a todos los amigos de la manzana y de la arena,

y es necesario dar con los puños cerrados
a las pequeñas judías que tiemblan llenas de
    burbujas,
para que el rey de Harlem cante con su
    muchedumbre,
para que los cocodrilos duerman en largas filas
bajo el amianto de la luna,
y para que nadie dude de la infinita belleza
de los plumeros, los ralladores, los cobres y las
    cacerolas de las cocinas.

¡Ay, Harlem! ¡Ay, Harlem! ¡Ay, Harlem!
No hay angustia comparable a tus rojos oprimidos
a tu sangre estremecida dentro del eclipse oscuro,
a tu violencia granate sordomuda en la penumbra,
a tu gran rey prisionero, con un traje de conserje.

Tenía la noche una hendidura y quietas salamandras
    de marfil.
Las muchachas americanas
llevaban niños y monedas en el vientre
y los muchachos se desmayaban en la cruz del
    desperezo.
Ellos son.
Ellos son los que beben el whisky de plata junto
    a los volcanes
y tragan pedacitos de corazón por las heladas
    montañas del oso.

Aquella noche el rey de Harlem con una durísima
    cuchara
arrancaba los ojos a los cocodrilos
y golpeaba el trasero de los monos.
Con una cuchara.
Los negros lloraban confundidos
entre paraguas y soles de oro,
los mulatos estiraban gomas, ansiosos de llegar al
    torso blanco.

Y el viento empañaba espejos
y quebraba las venas de los bailarines.
Negros, Negros, Negros, Negros.

La sangre no tiene puertas en vuestra noche boca
　　arriba.
No hay rubor. Sangre furiosa por debajo de las
　　pieles,
viva en la espina del puñal y en el pecho de los
　　paisajes,
bajo las pinzas y las retamas de la celeste luna de
　　cáncer.

Sangre que busca por mil caminos muertes
　　enharinadas y ceniza de nardo,
cielos yertos, en declive, donde las colonias de
　　planetas
rueden por las playas con los objetos abandonados.

Sangre que mira lenta con el rabo del ojo,
hecha de espartos exprimidos, néctares de
　　subterráneos.
Sangre que oxida el alisio descuidado en una huella
y disuelve a las mariposas en los cristales de la
　　ventana.

Es la sangre que viene, que vendrá
por los tejados y azoteas, por todas partes,
para quemar la clorofila de las mujeres rubias,
para gemir al pie de las camas ante el insomnio de
　　los lavabos
y estrellarse en una aurora de tabaco y bajo amarillo.

Hay que huir,
huir por las esquinas y encerrarse en los últimos
　　pisos,
porque el tuétano del bosque penetrará por las
　　rendijas

para dejar en vuestra carne una leve huella de
    eclipse
y una falsa tristeza de guante desteñido y rosa
    química.

*

Es por el silencio sapientísimo
cuando los camareros y los cocineros y los que
    limpian con la lengua
las heridas de los millonarios
buscan al rey por las calles o en los ángulos del
    salitre.

Un viento sur de madera, oblicuo en el negro fango,
escupe a las barcas rotas y se clava puntillas en los
    hombros;
un viento sur que lleva
colmillos, girasoles, alfabetos
y una pila de Volta con avispas ahogadas.

El olvido estaba expresado por tres gotas de tinta
    sobre el monóculo,
el amor por un solo rostro invisible a flor de piedra.
Médulas y corolas componían sobre las nubes
un desierto de tallos sin una sola rosa.

*

A la izquierda, a la derecha, por el sur y por el norte.
se levanta el muro impasible
para el topo, la aguja del agua.
No busquéis, negros, su grieta
para hallar la máscara infinita.
Buscad el gran sol del centro
hechos una piña zumbadora.

El sol que se desliza por los bosques
seguro de no encontrar una ninfa,

el sol que destruye números y no ha cruzado nunca
    un sueño,
el tatuado sol que baja por el río
y muge seguido de caimanes.

Negros, Negros, Negros, Negros.

Jamás sierpe, ni cebra, ni mula
palidecieron al morir.
El leñador no sabe cuándo expiran
los clamorosos árboles que corta.
Aguardad bajo la sombra vegetal de vuestro rey
a que cicutas y cardos y ortigas turben postreras
    azoteas.
Entonces, negros, entonces, entonces,
podréis besar con frenesí las ruedas de las bicicletas,
poner parejas de microscopios en las cuevas de las
    ardillas
y danzar al fin, sin duda, mientras las flores erizadas
asesinan a nuestro Moisés casi en los juncos del cielo.

¡Ay, Harlem, disfrazada!
¡Ay, Harlem, amenazada por un gentío de trajes
    sin cabeza!
Me llega tu rumor,
me llega tu rumor atravesando troncos y ascensores,
a través de láminas grises
donde flotan tus automóviles cubiertos de dientes,
a través de los caballos muertos y los crímenes
    diminutos,
a través de tu gran rey desesperado
cuyas barbas llegan al mar.

3

CALLES Y SUEÑOS

Un pájaro de papel en el pecho
dice que el tiempo de los besos no ha llegado.
VICENTE ALEIXANDRE.

DANZA DE LA MUERTE

EL mascarón. ¡Mirad el mascarón!
¡Cómo viene del África a Nueva York!

Se fueron los árboles de la pimienta,
los pequeños botones de fósforo.
Se fueron los camellos de carno desgarrada
y los valles de luz que el cisne levantaba con el pico.

Era el momento de las cosas secas,
de la espiga en el ojo y el gato laminado,
del óxido de hierro de los grandes puentes
v el definitivo silencio del corcho.

Era la gran reunión de los animales muertos,
traspasados por las espadas de la luz;
la alegría eterna del hipopótamo con las pezuñas de
    ceniza
y de la gacela con una siempreviva en la garganta.

En la marchita soledad sin honda
el abollado mascarón danzaba.
Medio lado del mundo era de arena,
mercurio y sol dormido el otro medio.

El mascarón. ¡Mirad el mascarón!
¡Arena, caimán y miedo sobre Nueva York!

136

Desfiladeros de cal aprisionaban un cielo vacío
donde sonaban las voces de los que mueren bajo el
    guano.
Un cielo mondado y puro, idéntico a sí mismo,
con el bozo y lirio agudo de sus montañas invisibles,

acabó con los más leves tallitos del canto
y se fue al diluvio empaquetado de la savia,
a través del descanso de los últimos desfiles,
levantando con el rabo pedazos de espejo.

Cuando el chino lloraba en el tejado
sin encontrar el desnudo de su mujer
y el director del Banco observaba el manómetro
que mide el cruel silencio de la moneda,
el mascarón llegaba al Wall Street.

No es extraño para la danza
este columbario que pone los ojos amarillos.
De la esfinge a la caja de caudales hay un hilo tenso
que atraviesa el corazón de todos los niños pobres.
El ímpetu primitivo baila con el ímpetu mecánico,
ignorantes en su frenesí de la luz original.
Porque si la rueda olvida su fórmula,
ya puede cantar desnuda con las manadas de
    caballos;
y si una llama quema los helados proyectos,
el cielo tendrá que huir ante el tumulto de las
    ventanas.
No es extraño este sitio para la danza, yo lo digo.
El mascarón bailará entre columnas de sangre y de
    números,
entre huracanes de oro y gemidos de obreros parados
que aullarán, noche oscura, por tu tiempo sin luces,
¡oh salvaje Norteamérica!, ¡oh impúdica!, ¡oh salvaje,
tendida en la frontera de la nieve!

El mascarón. ¡Mirad el mascarón!
¡Qué ola de fango y luciérnagas sobre Nueva York!

Yo estaba en la terraza luchando con la luna.
Enjambres de ventanas acribillaban un muslo de la
noche.
En mis ojos bebían las dulces vacas de los cielos.
Y las brisas de largos remos
golpeaban los cenicientos cristales de Broadway.

La gota de sangre buscaba la luz de la yema del astro
para fingir una muerta semilla de manzana.
El aire de la llanura, empujado por los pastores,
temblaba con un miedo de molusco sin concha.

Pero no son los muertos los que bailan,
estoy seguro.
Los muertos están embebidos, devorando sus propias
manos.
Son los otros los que bailan con el mascarón y su
vihuela;
son los otros, los borrachos de plata, los hombres
fríos,
los que crecen en el cruce de los muslos y llamas
duras,
los que buscan la lombriz en el paisaje de las
escaleras,
los que beben en el banco lágrimas de niña muerta
o los que comen por las esquinas diminutas
pirámides del alba.

¡Que no baile el Papa!
¡No, que no baile el Papa!
Ni el rey,
ni el millonario de dientes azules,
ni las bailarinas secas de las catedrales,
ni construcciones, ni esmeraldas, ni locos, ni
sodomitas.
Sólo este mascarón,
este mascarón de vieja escarlatina,
¡sólo este mascarón!

Que ya las cobras silbarán por los últimos pisos,
que ya las ortigas estremecerán patios y terrazas,
que ya la Bolsa será una pirámide de musgo,
que ya vendrán lianas después de los fusiles
y muy pronto, muy pronto, muy pronto.
¡Ay, Wall Street!

El mascarón. ¡Mirad el mascarón!
¡Cómo escupe veneno de bosque
por la angustia imperfecta de Nueva York!

Diciembre 1929.

CIUDAD SIN SUEÑO
(NOCTURNO DEL BROOKLYN BRIDGE)

No duerme nadie por el cielo. Nadie, nadie.
No duerme nadie.
Las criaturas de la luna huelen y rondan sus cabañas.
Vendrán las iguanas vivas a morder a los hombres
    que no sueñan
y el que huye con el corazón roto encontrará por las
    esquinas
al increíble cocodrilo quieto bajo la tierna protesta
    de los astros.

No duerme nadie por el mundo. Nadie, nadie.
No duerme nadie.
Hay un muerto en el cementerio más lejano
que se queja tres años
porque tiene un paisaje seco en la rodilla;
y el niño que enterraron esta mañana lloraba tanto
que hubo necesidad de llamar a los perros para que
    callase.

No es sueño la vida. ¡Alerta! ¡Alerta! ¡Alerta!
Nos caemos por las escaleras para comer la tierra
    húmeda

139

o subimos al filo de la nieve con el coro de las dalias
    muertas.
Pero no hay olvido, ni sueño:
carne viva. Los besos atan las bocas
en una maraña de venas recientes
y al que le duele su dolor le dolerá sin descanso
y al que teme la muerte la llevará sobre sus hombros.

Un día
los caballos vivirán en las tabernas
y las hormigas furiosas
atacarán los cielos amarillos que se refugian en los
    ojos de las vacas.

Otro día
veremos la resurrección de las mariposas disecadas
y aún andando por un paisaje de esponjas grises y
    barcos mudos
veremos brillar nuestro anillo y manar rosas de
    nuestra lengua.
¡Alerta! ¡Alerta! ¡Alerta!
A los que guardan todavía huellas de zarpa y
    aguacero,
a aquel muchacho que llora porque no sabe la
    invención del puente
o a aquel muerto que ya no tiene más que la cabeza
    y un zapato,
hay que llevarlos al muro donde iguanas y sierpes
    esperan,
donde espera la dentadura del oso,
donde espera la mano momificada del niño
y la piel del camello se eriza con un violento
    escalofrío azul.

No duerme nadie por el cielo. Nadie, nadie.
No duerme nadie.
Pero si alguien cierra los ojos,
¡azotadlo, hijos míos, azotadlo!

Haya un panorama de ojos abiertos
y amargas llagas encendidas.
No duerme nadie por el mundo. Nadie, nadie.
Ya lo he dicho.
No duerme nadie.
Pero si alguien tiene por la noche exceso de musgo
    en las sienes,
abrid los escotillones para que vea bajo la luna
las copas falsas, el veneno y la calavera de los teatros.

4

INTRODUCCIÓN A LA MUERTE

POEMAS DE LA SOLEDAD EN VERMONT

MUERTE

¡Qué esfuerzo!
¡Qué esfuerzo del caballo por ser perro!
¡Qué esfuerzo del perro por ser golondrina!
¡Qué esfuerzo de la golondrina por ser abeja!
¡Qué esfuerzo de la abeja por ser caballo!
Y el caballo,
¡qué flecha aguda exprime de la rosa!,
¡qué rosa gris levanta de su belfo!
Y la rosa,
¡qué rebaño de luces y alaridos
ata en el vivo azúcar de su tronco!
Y el azúcar,
¡qué puñalitos sueña en su vigilia!
Y los puñales diminutos,
¡qué luna sin establos!, ¡qué desnudos,
piel eterna y rubor, andan buscando!

Y yo, por los aleros,
¡qué serafín de llamas busco y soy!
Pero el arco de yeso,
¡qué grande, qué invisible, qué diminuto,
sin esfuerzo!

PAISAJE CON DOS TUMBAS Y UN
PERRO ASIRIO

AMIGO,
levántate para que oigas aullar
al perro asirio.
Las tres ninfas del cáncer han estado bailando,
hijo mío.
Trajeron unas montañas de lacre rojo
y unas sábanas duras donde estaba el cáncer
dormido.
El caballo tenía un ojo en el cuello
y la luna estaba en un cielo tan frío
que tuvo que desgarrarse su monte de Venus
y ahogar en sangre y ceniza los cementerios antiguos.

Amigo,
despierta, que los montes todavía no respiran
y las hierbas de mi corazón están en otro sitio.
No importa que estés lleno de agua de mar.
Yo amé mucho tiempo a un niño
que tenía una plumilla en la lengua
y vivimos cien años dentro de un cuchillo.

Despierta. Calla. Escucha. Incorpórate un poco.
El aullido
es una larga lengua morada que deja
hormigas de espanto y licor de lirios.
Ya vienen hacia la roca. ¡No alargues tus raíces!
Se acerca. Gime. No solloces en sueños, amigo.

¡Amigo!
Levántate para que oigas aullar
al perro asirio.

NEW YORK
OFICINA Y DENUNCIA

Debajo de las multiplicaciones
hay una gota de sangre de pato.
Debajo de las divisiones
hay una gota de sangre de marinero.
Debajo de las sumas, un río de sangre tierna;
un río que viene cantando
por los dormitorios de los arrabales,
y es plata, cemento o brisa
en el alba mentida de New York.
Existen las montañas, lo sé.
Y los anteojos para la sabiduría,
lo sé. Pero yo no he venido a ver el cielo.
He venido para ver la turbia sangre,
la sangre que lleva las máquinas a las cataratas
y el espíritu a la lengua de la cobra.
Todos los días se matan en New York
cuatro millones de patos,
cinco millones de cerdos,
dos mil palomas para el gusto de los agonizantes,
un millón de vacas,
un millón de corderos
y dos millones de gallos
que dejan los cielos hechos añicos.
Más vale sollozar afilando la navaja
o asesinar a los perros en las alucinantes cacerias
que resistir en la madrugada

los interminables trenes de leche,
los interminables trenes de sangre,
y los trenes de rosas maniatadas
por los comerciantes de perfumes.
Los patos y las palomas
y los cerdos y los corderos
ponen sus gotas de sangre
debajo de las multiplicaciones;
y los terribles alaridos de las vacas estrujadas
llenan de dolor el valle
donde el Hudson se emborracha con aceite.
Yo denuncio a toda la gente
que ignora la otra mitad,
la mitad irredimible
que levanta sus montes de cemento
donde laten los corazones
de los animalitos que se olvidan
y donde caeremos todos
en la última fiesta de los taladros.
Os escupo en la cara.
La otra mitad me escucha
devorando, cantando, volando en su pureza
como los niños en las porterías
que llevan frágiles palitos
a los huecos donde se oxidan
las antenas de los insectos.
No es el infierno, es la calle.
No es la muerte, es la tienda de frutas.
Hay un mundo de ríos quebrados y distancias
    inasibles
en la patita de ese gato quebrada por el automóvil,
y yo oigo el canto de la lombriz
en el corazón de muchas niñas.
Óxido, fermento, tierra estremecida.
Tierra tú mismo que nadas por los números de la
    oficina.
¿Qué voy a hacer, ordenar los paisajes?
¿Ordenar los amores que luego son fotografías,

que luego son pedazos de madera y bocanadas de
   sangre?
No, no; yo denuncio,
yo denuncio la conjura
de estas desiertas oficinas
que no radian las agonías,
que borran los programas de la selva,
y me ofrezco a ser comido por las vacas estrujadas
cuando sus gritos llenan el valle
donde el Hudson se emborracha con aceite.

ODA A WALT WHITMAN

Por el East River y el Bronx
los muchachos cantaban enseñando sus cinturas,
con la rueda, el aceite, el cuero y el martillo.
Noventa mil mineros sacaban la plata de las rocas
y los niños dibujaban escaleras y perspectivas.

Pero ninguno se dormía,
ninguno quería ser el río,
ninguno amaba las hojas grandes,
ninguno la lengua azul de la playa.

Por el East River y el Queensborough
los muchachos luchaban con la industria,
y los judíos vendían al fauno del río
la rosa de la circuncisión
y el cielo desembocaba por los puentes y los tejados
manadas de bisontes empujadas por el viento.

Pero ninguno se detenía,
ninguno quería ser nube,
ninguno buscaba los helechos
ni la rueda amarilla del tamboril.

Cuando la luna salga
las poleas rodarán para turbar el cielo;
un límite de agujas cercará la memoria
y los ataúdes se llevarán a los que no trabajan.

Nueva York de cieno,
Nueva York de alambres y de muerte.

¿Qué ángel llevas oculto en la mejilla?
¿Qué voz perfecta dirá las verdades del trigo?
¿Quién el sueño terrible de sus anémonas
    manchadas?

Ni un solo momento, viejo hermoso Walt Whitman
he dejado de ver tu barba llena de mariposas,
ni tus hombros de pana gastados por la luna,
ni tus muslos de Apolo virginal,
ni tu voz como una columna de ceniza;
anciano hermoso como la niebla
que gemías igual que un pájaro
con el sexo atravesado por una aguja,
enemigo del sátiro,
enemigo de la vid
y amante de los cuerpos bajo la burda tela.
Ni un solo momento, hermosura viril
que en montes de carbón, anuncios y ferrocarriles,
soñabas ser un río y dormir como un río
con aquel camarada que pondría en tu pecho
un pequeño dolor de ignorante leopardo.

Ni un solo momento, Adán de sangre, macho
hombre solo en el mar, viejo hermoso Walt
    Whitman,
porque por las azoteas,
agrupados en los bares,
saliendo en racimos de las alcantarillas,
temblando entre las piernas de los chauffeurs
o girando en las plataformas del ajenjo,
los maricas, Walt Whitman, te soñaban.

¡También ése! ¡También! Y se despeñan
sobre tu barba luminosa y casta,
rubios del norte, negros de la arena,
muchedumbres de gritos y ademanes,
como gatos y como las serpientes,
los maricas, Walt Whitman, los maricas

turbios de lágrimas, carne para fusta,
bota o mordisco de los domadores.

¡También ése! ¡También! Dedos teñidos
apuntan a la orilla de tu sueño
cuando el amigo come tu manzana
con un leve sabor de gasolina
y el sol canta por los ombligos
de los muchachos que juegan bajo los puentes.

Pero tú no buscabas los ojos arañados,
ni el pantano oscurísimo donde sumergen a los
    niños,
ni la saliva helada,
ni las curvas heridas como panza de sapo
que llevan los maricas en coches y terrazas
mientras la luna los azota por las esquinas del
    terror.

Tú buscabas un desnudo que fuera como un río,
toro y sueño que junte la rueda con el alga,
padre de tu agonía, camelia de tu muerte,
y gimiera en las llamas de tu ecuador oculto.

Porque es justo que el hombre no busque su
    deleite
en la selva de sangre de la mañana próxima.
El cielo tiene playas donde evitar la vida
y hay cuerpos que no deben repetirse en la aurora.

Agonía, agonía, sueño, fermento y sueño.
Éste es el mundo, amigo, agonía, agonía.
Los muertos se descomponen bajo el reloj de las
    ciudades,
la guerra pasa llorando con un millón de ratas
    grises,
los ricos dan a sus queridas
pequeños moribundos iluminados,
y la vida no es noble, ni buena, ni sagrada.

Puede el hombre, si quiere, conducir su deseo
por vena de coral o celeste desnudo.
Mañana los amores serán rocas y el Tiempo
una brisa que viene dormida por las ramas.

Por eso no levanto mi voz, viejo Walt Whitman,
contra el niño que escribe
nombre de niña en su almohada,
ni contra el muchacho que se viste de novia
en la oscuridad del ropero,
ni contra los solitarios de los casinos
que beben con asco el agua de la prostitución,
ni contra los hombres de mirada verde
que aman al hombre y queman sus labios en
    silencio.
Pero sí contra vosotros, maricas de las ciudades,
de carne tumefacta y pensamiento inmundo,
madres de lodo, arpías, enemigos sin sueño
del Amor que reparte coronas de alegría.

Contra vosotros siempre, que dais a los muchachos
gotas de sucia muerte con amargo veneno.
Contra vosotros siempre,
Faeries de Norteamérica,
Pájaros de La Habana,
Jotos de México,
Sarasas de Cádiz,
Apios de Sevilla,
Cancos de Madrid,
Floras de Alicante,
Adelaidas de Portugal.

¡Maricas de todo el mundo, asesinos de palomas!
Esclavos de la mujer, perras de sus tocadores,
abiertos en las plazas con fiebre de abanico
o emboscados en yertos paisajes de cicuta.

¡No haya cuartel! La muerte
mana de vuestros ojos

y agrupa flores grises en la orilla del cieno.
¡No haya cuartel! ¡Alerta!
Que los confundidos, los puros,
los clásicos, los señalados, los suplicantes
os cierren las puertas de la bacanal.

Y tú, bello Walt Whitman, duerme a orillas del
    Hudson
con la barba hacia el polo y las manos abiertas.
Arcilla blanda o nieve, tu lengua está llamando
camaradas que velen tu gacela sin cuerpo.

Duerme, no queda nada.
Una danza de muros agita las praderas
y América se anega de máquinas y llanto.
Quiero que el aire fuerte de la noche más honda
quite flores y letras del arco donde duermes
y un niño negro anuncie a los blancos del oro
la llegada del reino de la espiga.

7

HUIDA DE NUEVA YORK
UN VALS HACIA LA CIVILIZACIÓN

VALS EN LAS RAMAS

Cayó una hoja
y dos
y tres.
Por la luna nadaba un pez.
El agua duerme una hora
y el mar blanco duerme cien.
La dama
estaba muerta en la rama.
La monja
cantaba dentro de la toronja
La niña
iba por el pino a la piña.
Y el pino
buscaba la plumilla del trino.
Pero el ruiseñor
lloraba sus heridas alrededor.
Y yo también
porque cayó una hoja
y dos
y tres.
Y una cabeza de cristal
y un violín de papel
y la nieve podría con el mundo
una a una
dos a dos
y tres a tres.

¡Oh, duro marfil de carnes invisibles!
¡Oh, golfo sin hormigas del amanecer!
Con el numen de las ramas,
con el ay de las damas,
con el croo de las ranas,
y el geo amarillo de la miel.
Llegará un torso de sombra
coronado de laurel.
Será el cielo para el viento
duro como una pared
y las ramas desgajadas
se irán bailando con él.
Una a una
alrededor de la luna,
dos a dos
alrededor del sol,
y tres a tres
para que los marfiles se duerman bien.

EL POETA LLEGA A LA HABANA

SÓN DE NEGROS EN CUBA

CUANDO llegue la luna llena iré a Santiago de
Cuba,
iré a Santiago,
en un coche de agua negra.
Iré a Santiago.
Cantarán los techos de palmera.
Iré a Santiago.
Cuando la palma quiere ser cigüeña,
iré a Santiago.
Y cuando quiere ser medusa el plátano,
iré a Santiago.
Iré a Santiago
con la rubia cabeza de Fonseca.
Iré a Santiago.
Y con la rosa de Romeo y Julieta
iré a Santiago.
¡Oh Cuba! ¡Oh ritmo de semillas secas!
Iré a Santiago.
¡Oh cintura caliente y gota de madera!
Iré a Santiago.
Arpa de troncos vivos. Caimán. Flor de tabaco.
Iré a Santiago.
Siempre he dicho que yo iría a Santiago
en un coche de agua negra.
Iré a Santiago.

Brisa y alcohol en las ruedas,
iré a Santiago.
Mi coral en la tiniebla,
iré a Santiago.
El mar ahogado en la arena,
iré a Santiago.
Color blanco, fruta muerta,
iré a Santiago.
¡Oh bovino frescor de cañaveras!
¡Oh Cuba! ¡Oh curva de suspiro y barro!
Iré a Santiago.

8

POEMAS GALEGOS
(1935)

CÁNTIGA DO NENO DA TENDA

Bos AIRES ten unha gaita
sobro do Río da Prata,
que a toca o vento do norde
coa súa gris boca mollada.
¡Triste Ramón de Sismundi!
Aló, na rúa Esmeralda,
basoira que te basoira
polvo d'estantes e caixas.
Ao longo das rúas infindas
os galegos paseiaban
soñando un val imposibel
na verde riba da pampa.
¡Triste Ramón de Sismundi!
Sinteu a muiñeira d'agoa
mentres sete bois de lúa
pacían na súa lembranza.
Foise pra veira do río,
veira do Río da Prata.
Sauces e cabalos múos
creban o vidro das ágoas.
Non atopou o xemido
malencónico da gaita,
non viu o inmenso gaiteiro
coa boca frolida d'alas;
triste Ramón de Sismundi,
veira do Río da Prata,
viú na tarde amortecida
bermello muro de lama.

9

LLANTO POR
IGNACIO SÁNCHEZ MEJÍAS

(1935)

LA COGIDA Y LA MUERTE

A LAS cinco de la tarde.
Eran las cinco en punto de la tarde.
Un niño trajo la blanca sábana
a las cinco de la tarde.
Una espuerta de cal ya prevenida
a las cinco de la tarde.
Lo demás era muerte y sólo muerte
a las cinco de la tarde.

El viento se llevó los algodones
a las cinco de la tarde.
Y el óxido sembró cristal y níquel
a las cinco de la tarde.
Ya luchan la paloma y el leopardo
a las cinco de la tarde.
Y un muslo con un asta desolada
a las cinco de la tarde.

Comenzaron los sones de bordón
a las cinco de la tarde.
Las campanas de arsénico y el humo
a las cinco de la tarde.
En las esquinas grupos de silencio
a. las cinco de la tarde.
¡Y el toro solo corazón arriba!
a las cinco de la tarde.
Cuando el sudor de nieve fue llegando
a las cinco de la tarde,
cuando la plaza se cubrió de yodo
a las cinco de la tarde,

la muerte puso huevos en la herida
a las cinco de la tarde.
A las cinco de la tarde.
A las cinco en punto de la tarde.

Un ataúd con ruedas es la cama
a las cinco de la tarde.
Huesos y flautas suenan en su oído
a las cinco de la tarde.
El toro ya mugía por su frente
a las cinco de la tarde.
El cuarto se irisaba de agonía
a las cinco de la tarde.
A lo lejos ya viene la gangrena
a las cinco de la tarde.
Trompa de lirio por las verdes ingles
a las cinco de la tarde.
Las heridas quemaban como soles
a las cinco de la tarde,
y el gentío rompía las ventanas
a las cinco de la tarde.
A las cinco de la tarde.
¡Ay, qué terribles cinco de la tarde!
¡Eran las cinco en todos los relojes!
¡Eran las cinco en sombra de la tarde!

LA SANGRE DERRAMADA

¡QUE no quiero verla!

Dile a la luna que venga,
que no quiero ver la sangre
de Ignacio sobre la arena.

¡Que no quiero verla!

La luna de par en par.
Caballo de nubes quietas,
y la plaza gris del sueño
con sauces en las barreras.

¡Que no quiero verla!

Que mi recuerdo se quema.
¡Avisad a los jazmines
con su blancura pequeña!

¡Que no quiero verla!

La vaca del viejo mundo
pasaba su triste lengua
sobre un hocico de sangres
derramadas en la arena,
y los toros de Guisando,
casi muerte y casi piedra,
mugieron como dos siglos
hartos de pisar la tierra.
No.

¡Que no quiero verla!

Por las gradas sube Ignacio
con toda su muerte a cuestas.
Buscaba el amanecer,
y el amanecer no era.
Busca su perfil seguro,
y el sueño lo desorienta.
Buscaba su hermoso cuerpo
y encontró su sangre abierta.
¡No me digáis que la vea!
No quiero sentir el chorro
cada vez con menos fuerza;
ese chorro que ilumina
los tendidos y se vuelca
sobre la pana y el cuero
de muchedumbre sedienta.

¡Quién me grita que me asome!
¡No me digáis que la vea!

No se cerraron sus ojos
cuando vio los cuernos cerca,
pero las madres terribles
levantaron la cabeza.
Y a través de las ganaderías,
hubo un aire de voces secretas
que gritaban a toros celestes
mayorales de pálida niebla.
No hubo príncipe en Sevilla
que comparársele pueda,
ni espada como su espada
ni corazón tan de veras.
Como un río de leones
su maravillosa fuerza,
y como un torso de mármol
su dibujada prudencia.
Aire de Roma andaluza
le doraba la cabeza
donde su risa era un nardo
de sal y de inteligencia.
¡Qué gran torero en la plaza!
¡Qué buen serrano en la sierra!
¡Qué blando con las espigas!
¡Qué duro con las espuelas!
¡Qué tierno con el rocío!
¡Qué deslumbrante en la feria!
¡Qué tremendo con las últimas
banderillas de tiniebla!

Pero ya duerme sin fin.
Ya los musgos y la hierba
abren con dedos seguros
la flor de su calavera.
Y su sangre ya viene cantando:
cantando por marismas y praderas,

resbalando por cuernos ateridos,
vacilando sin alma por la niebla,
tropezando con miles de pezuñas
como una larga, oscura, triste lengua,
para formar un charco de agonía
junto al Guadalquivir de las estrellas.
¡Oh blanco muro de España!
¡Oh negro toro de pena!
¡Oh sangre dura de Ignacio!
¡Oh ruiseñor de sus venas!
No.
¡Que no quiero verla!
Que no hay cáliz que la contenga,
que no hay golondrinas que se la beban,
no hay escarcha de luz que la enfríe,
no hay canto ni diluvio de azucenas,
no hay cristal que la cubra de plata.
No.
¡¡Yo no quiero verla!!

ALMA AUSENTE

No TE conoce el toro ni la higuera,
ni caballos ni hormigas de tu casa.
No te conoce tu recuerdo mudo
porque te has muerto para siempre.

No te conoce el lomo de la piedra,
ni el raso negro donde te destrozas.
No te conoce tu recuerdo mudo
porque te has muerto para siempre.

El otoño vendrá con caracolas,
uva de niebla y montes agrupados,
pero nadie querrá mirar tus ojos
porque te has muerto para siempre.

Porque te has muerto para siempre,
como todos los muertos de la Tierra,
como todos los muertos que se olvidan
en un montón de perros apagados.

No te conoce nadie. No. Pero yo te canto.
Yo canto para luego tu perfil y tu gracia.
La madurez insigne de tu conocimiento.
Tu apetencia de muerte y el gusto de su boca.
La tristeza que tuvo tu valiente alegría.

Tardará mucho tiempo en nacer, si es que nace,
un andaluz tan claro, tan rico de aventura.
Yo canto su elegancia con palabras que gimen
y recuerdo una brisa triste por los olivos.

10

DIVÁN DEL TAMARIT

(1936)

GACELA DEL NIÑO MUERTO

TODAS las tardes en Granada,
todas las tardes se muere un niño.
Todas las tardes el agua se sienta
a conversar con sus amigos.

Los muertos llevan alas de musgo.
El viento nublado y el viento limpio
son dos faisanes que vuelan por las torres
y el día es un muchacho herido.

No quedaba en el aire ni una brizna de alondra
cuando yo te encontré por las grutas del vino.
No quedaba en la tierra ni una miga de nube
cuando te ahogabas por el río.

Un gigante de agua cayó sobre los montes
y el valle fue rodando con perros y con lirios.
Tu cuerpo, con la sombra violeta de mis manos,
era, muerto en la orilla, un arcángel de frío.

GACELA DEL MERCADO MATUTINO

POR *el arco de Elvira*
quiero verte pasar,
para saber tu nombre
y ponerme a llorar.

¿Qué luna gris de las nueve

te desangró la mejilla?
¿Quién recoge tu semilla
de llamarada en la nieve?
¿Qué alfiler de cactus breve
asesina tu cristal?

Por el arco de Elvira
voy a verte pasar,
para beber tus ojos
y ponerme a llorar.

¡Qué voz para mi castigo
levantas por el mercado!
¡Qué clavel enajenado
en los montones de trigo!
¡Qué lejos estoy contigo,
qué cerca cuando te vas!

Por el arco de Elvira
voy a verte pasar,
para sentir tus muslos
y ponerme a llorar.

GACELA DE LA HUIDA

ME he perdido muchas veces por el mar
con el oído lleno de flores recién cortadas,
y la lengua llena de amor y de agonía.
Muchas veces me he perdido por el mar,
como me pierdo en el corazón de algunos niños.

No hay nadie que al dar un beso
no sienta la sonrisa de la gente sin rostro,
ni nadie que al tocar un recién nacido
olvide las inmóviles calaveras de caballo.

Porque las rosas buscan en la frente
un duro paisaje de hueso
y las manos del hombre no tienen más sentido
que imitar a las raíces bajo la tierra.

Como me pierdo en el corazón de algunos niños,
me he perdido muchas veces por el mar.
Ignorante del agua voy buscando
una muerte de luz que me consuma.

GACELA DEL AMOR CON CIEN AÑOS

SUBEN por la calle
los cuatro galanes.

Ay, ay, ay, ay.

Por la calle abajo
van los tres galanes.

Ay, ay, ay.

Se ciñen el talle
esos dos galanes.

Ay, ay.

¡Cómo vuelve el rostro
un galán y el aire!

Ay.

Por los arrayanes
se pasea nadie.

CASIDA DEL HERIDO POR EL AGUA

QUIERO bajar al pozo,
quiero subir los muros de Granada,
para mirar el corazón pasado
por el punzón oscuro de las aguas.

El niño herido gemía
con una corona de escarcha.
Estanques, aljibes y fuentes
levantaban al aire sus espadas.
¡Ay, qué furia de amor, qué hiriente filo,
qué nocturno rumor, qué muerte blanca!
¡Qué desiertos de luz iban hundiendo
los arenales de la madrugada!
El niño estaba solo
con la ciudad dormida en la garganta.
Un surtidor que viene de los sueños
lo defiende del hambre de las algas.
El niño y su agonía, frente a frente,
eran dos verdes lluvias enlazadas.
El niño se tendía por la tierra
y su agonía se curvaba.

Quiero bajar al pozo,
quiero morir mi muerte a bocanadas,
quiero llenar mi corazón de musgo,
para ver al herido por el agua.

CASIDA DE LOS RAMOS

POR las arboledas del Tamarit
han venido los perros de plomo
a esperar que se caigan los ramos,
a esperar que se quiebren ellos solos.

El Tamarit tiene un manzano
con una manzana de sollozos.
Un ruiseñor apaga los suspiros
y un faisán los ahuyenta por el polvo.

Pero los ramos son alegres,
los ramos son como nosotros.
No piensan en la lluvia y se han dormido,
como si fueran árboles, de pronto.

Sentados con el agua en las rodillas
dos valles esperaban el otoño.
La penumbra con paso de elefante
empujaba las ramas y los troncos.

Por las arboledas del Tamarit
hay muchos niños de velado rostro
a esperar que se caigan mis ramos,
a esperar que se quiebren ellos solos.

CASIDA DE LA MUJER TENDIDA

VERTE desnuda es recordar la Tierra,
la Tierra lisa, limpia de caballos,
la Tierra sin un junco, forma pura,
cerrada al porvenir: confín de plata.

Verte desnuda es comprender el ansia
de la lluvia que busca débil talle,
o la fiebre del mar de inmenso rostro
sin encontrar la luz de su mejilla.

La sangre sonará por las alcobas
y vendrá con espadas fulgurantes,
pero tú no sabrás dónde te ocultan
el corazón de sapo o la violeta.

Tu vientre es una lucha de raíces
y tus labios un alba sin contorno.
Bajo las rosas tibias de la cama
los muertos gimen esperando turno.

CASIDA DE LA ROSA

LA rosa
no buscaba la aurora:
casi eterna en su ramo,
buscaba otra cosa.

La rosa
no buscaba ni ciencia ni sombra:
confín de carne y sueño,
buscaba otra cosa.

La rosa
no buscaba la rosa.
Inmóvil por el cielo
buscaba otra cosa.

CASIDA DE LAS PALOMAS OSCURAS

POR las ramas del laurel
vi dos palomas oscuras.
La una era el sol,
la otra la luna.
Vecinitas, les dije:
¿Dónde está mi sepultura?
En mi cola, dijo el sol.
En mi garganta, dijo la luna.
Y yo que estaba caminando
con la tierra por la cintura

vi dos águilas de nieve
y una muchacha desnuda.
La una era la otra
y la muchacha era ninguna.
Aguilitas, les dije:
¿Dónde está mi sepultura?
En mi cola, dijo el sol.
En mi garganta, dijo la luna.
Por las ramas del laurel
vi dos palomas desnudas.
La una era la otra
y las dos eran ninguna.

11

POEMAS VARIOS

CANTO NOCTURNO DE LOS MARINEROS
ANDALUCES

De Cádiz a Gibraltar
¡qué buen caminito!
El mar conoce mi paso
por los suspiros.

¡Ay, muchacha, muchacha,
cuánto barco en el puerto de Málaga!

De Cádiz a Sevilla
¡cuántos limoncitos!
El limonar me conoce
por los suspiros.

¡Ay, muchacha, muchacha,
cuánto barco en el puerto de Málaga!

De Sevilla a Carmona
no hay un solo cuchillo.
La media luna corta,
y el aire pasa, herido.

¡Ay, muchacho, muchacho,
que las olas me llevan mi caballo!

Por las salinas muertas
yo te olvidé, amor mío.
El que quiera un corazón
que pregunte por mi olvido.

¡Ay, muchacho, muchacho,
que las olas se llevan mi caballo!

Cádiz, que te cubre el mar,
no avances por ese sitio.
Sevilla, ponte de pie
para no ahogarte en el río.

¡Ay, muchacha!
¡Ay, muchacho!
¡Qué buen caminito!
Cuánto barco en el puerto
y en la plaza ¡qué frío!

CANCIÓN DE LA MUERTE PEQUEÑA

PRADO mortal de lunas
y sangre bajo tierra.
Prado de sangre vieja.

Luz de ayer y mañana.
Cielo mortal de hierba.
Luz y noche de arena.

Me encontré con la muerte.
Prado mortal de tierra.
Una muerte pequeña.

El perro en el tejado.
Sola mi mano izquierda
atravesaba montes
sin fin de flores secas.

Una muerte y yo un hombre.
Un hombre solo, y ella
una muerte pequeña.

Prado mortal de lunas.
La nieve gime y tiembla
por detrás de la puerta.

Un hombre, ¿y qué? Lo dicho.
Un hombre solo y ella.
Prado, amor, luz y arena.

EN LA MUERTE DE JOSÉ DE CIRIA Y ESCALANTE

¿QUIÉN dirá que te vio, y en qué momento?
¡Qué dolor de penumbra iluminada!
Dos voces suenan: el reloj y el viento,
mientras flota sin ti la madrugada.

Un delirio de nardo ceniciento
invade tu cabeza delicada.
¡Hombre! ¡Pasión! ¡Dolor de luz! Memento.
Vuelve hecho luna y corazón de nada.

Vuelve hecho luna: con mi propia mano
lanzaré tu manzana sobre el río
turbio de rojos peces de verano.

Y tú, arriba, en lo alto, verde y frío,
¡olvídate! y olvida el mundo vano,
delicado Giocondo, amigo mío.

ADÁN

ÁRBOL de sangre moja la mañana
por donde gime la recién parida.
Su voz deja cristales en la herida
y un gráfico de hueso en la ventana.

Mientras la luz que viene fija y gana
blancas metas de fábula que olvida
el tumulto de venas en la huida
hacia el turbio frescor de la manzana,

Adán sueña en la fiebre de la arcilla
un niño que se acerca galopando
por el doble latir de su mejilla.

Pero otro Adán oscuro está soñando
neutra luna de piedra sin semilla
donde el niño de luz se irá quemando.

A MERCEDES EN SU VUELO

Una viola de luz yerta y helada
eres ya por las rocas de la altura.
Una voz sin garganta, voz oscura
que suena en todo sin sonar en nada.

Tu pensamiento es nieve resbalada
en la gloria sin fin de la blancura.
Tu perfil es perenne quemadura.
Tu corazón, paloma desatada.

Canta ya por el aire sin cadena
la matinal fragante melodía
monte de luz y llaga de azucena.

Que nosotros aquí de noche y día
haremos en la espina de la pena
una guirnalda de melancolía.

EL POETA PIDE A SU AMOR QUE
LE ESCRIBA

Amor de mis entrañas, viva muerte.
en vano espero tu palabra escrita
y pienso, con la flor que se marchita,
que si vivo sin mí quiero perderte.

El aire es inmortal. La piedra inerte
ni conoce la sombra ni la evita.
Corazón interior no necesita
la miel helada que la luna vierte.

Pero yo te sufrí. Rasgué mis venas,
tigre y paloma, sobre tu cintura
en duelo de mordiscos y azucenas.

Llena, pues, de palabras mi locura
o déjame vivir en mi serena
noche del alma para siempre oscura.

A CARMELA, LA PERUANA,
AGRADECIÉNDOLE UNAS MUÑECAS

Una luz de jacinto me ilumina la mano
al escribir tu nombre de tinta y cabellera
y en la neutra ceniza de mi verso quisiera
silbo de luz y arcilla de caliente verano.

Un Apolo de hueso borra el cauce inhumano
donde mi sangre teje juncos de primavera...
Aire débil de alumbre y aguja de quimera
pone loco de espigas el silencio del grano.

En este duelo a muerte de la virgen poesía,
duelo de rosa y verso, de número y locura,
tu regalo renueva sal y vieja alegría.

¡Oh pequeña morena de delgada cintura!
¡Oh Perú de metal y de melancolía!
¡Oh, España, oh luna muerta sobre la piedra fría!

TEATRO

1

MARIANA PINEDA

(1924)

CORRIDA DE TOROS EN RONDA

AMPARO

En la corrida más grande
que se vio en Ronda la vieja,
cinco toros de azabache
con divisa verde y negra.
Yo pensaba siempre en ti.
Yo pensaba: Si estuviera
conmigo mi triste amiga,
¡mi Marianita Pineda!
Las niñas venían gritando
sobre pintadas calesas,
con abanicos redondos
bordados de lentejuelas.
Y los jóvenes de Ronda,
sobre jacas pintureras,
los anchos sombreros grises
calados hasta las cejas.
La plaza con el gentío,
(calañés y altas peinetas)
giraba como un zodíaco
de risas blancas y negras.
Y cuando el gran Cayetano
cruzó la pajiza arena
con traje color manzana
bordado de plata y seda,
destacándose gallardo
entre la gente de brega
frente a los toros zaínos
que España cría en su tierra,

parecía que la tarde
se ponía más morena.
¡Si hubieras visto con qué
gracia movía las piernas!
¡Qué gran equilibrio el suyo
con la espada y la muleta!
¡Mejor, ni Pedro Romero
toreando a las estrellas!
Cinco toros mató, cinco,
con divisa verde y negra.
Con la punta de su estoque
cinco flores dejó abiertas,
y a cada instante rozaba
los hocicos de las fieras
como una gran mariposa
de oro con alas bermejas.
La plaza, al par que la tarde,
vibraba fuerte, sangrienta,
y entre el olor de la sangre
iba el olor de la sierra.

ROMANCE DE LA MUERTE DE TORRIJOS

Conspirador 4º

Torrijos, el general
noble, de la frente limpia,
donde se estaban mirando
las gentes de Andalucía,
caballero entre los duques,
corazón de plata fina,
ha sido muerto en las playas
de Málaga la bravía.
Le atrajeron con engaños,
que él creyó, por su desdicha,
y se acercó satisfecho

con sus buques a la orilla.
¡Malhaya el corazón noble
que de los malos se fía,
que al poner el pie en la arena
lo prendieron los realistas!
El vizconde La Barthe,
que mandaba las milicias,
debió cortarse la mano
antes de tal villanía,
como es quitar a Torrijos
bella espada que ceñía,
con el puño de cristal
adornado con dos cintas.
Muy de noche lo mataron
con toda su compañía,
caballero entre los duques,
corazón de plata fina.
Grandes nubes se levantan
sobre la sierra de Mijas.
El viento mueve la mar
y los barcos se retiran
con los remos presurosos
y las velas extendidas.
Entre el ruido de las olas
sonó la fusilería,
y muerto quedó en la arena,
sangrando por tres heridas,
el valiente caballero,
con toda su compañía.
La muerte, con ser la muerte,
no deshojó su sonrisa.
Sobre los barcos lloraba
toda la marinería,
y las más bellas mujeres,
enlutadas y afligidas,
lo iban llorando también
por el Limonar arriba.

2

LA ZAPATERA PRODIGIOSA

(1930)

ROMANCE DE LA TALABARTERA

ZAPATERO *(señalando con la varilla)*

En un cortijo de Córdoba,
entre jarales y adelfas,
vivía un talabartero
con una talabartera.
Ella era mujer arisca,
él hombre de gran paciencia,
ella giraba en los veinte
y él pasaba de cincuenta.
¡Santo Dios, cómo reñían!
Miren ustedes la fiera,
burlando al débil marido
con los ojos y la lengua.
Cabellos de emperadora
tiene la talabartera,
y una carne como el agua
cristalina de Lucena.
Cuando movía las faldas
en tiempos de Primavera
olía toda su ropa
a limón y a yerbabuena.
¡Ay, qué limón, limón
de la limonera!
¡Qué apetitosa
talabartera!
Ved cómo la cortejaban
mocitos en su presencia

en caballos relucientes
llenos de borlas de seda.
Gente cabal y garbosa
que pasaba por la puerta
haciendo brillar, alegre,
las onzas de sus cadenas.
La conversación a todos
daba la talabartera,
y ellos caracoleaban
sus jacas sobre las piedras.
Miradla hablando con uno
bien peinada y bien compuesta,
mientras el pobre marido
clava en el cuero la lezna.
Esposo viejo y decente
casado con joven tierna,
qué tunante caballista
roba tu amor en la puerta.
Un lunes por la mañana
a eso de las once y media,
cuando el sol deja sin sombra
los juncos y madreselvas,
cuando alegremente bailan
brisa y tomillo en la sierra
y van cayendo las verdes
hojas de las madroñeras,
regaba sus alhelíes
la arisca talabartera.
Llegó su amigo trotando
una jaca cordobesa
y le dijo entre suspiros:
—Niña, si tú lo quisieras,
cenaríamos mañana
los dos solos, en tu mesa.
—¿Y qué harás de mi marido?
—Tu marido no se entera.
—¿Qué piensas hacer? —Matarlo.
—Es ágil. Quizá no puedas.

¿Tienes revólver? —¡Mejor!
¡Tengo navaja barbera!
—¿Corta mucho? —Más que el frío.
Y no tiene ni una mella.
—¿No has mentido? —Le daré
diez puñaladas certeras
en esta disposición,
que me parece estupenda:
cuatro en la región lumbar,
una en la tetilla izquierda,
otra en semejante sitio
y dos en cada cadera.
—¿Lo matarás en seguida?
—Esta noche cuando vuelva
con el cuero y con las crines
por la curva de la acequia.

3

AMOR DE DON PERLIMPLÍN CON BELISA EN SU JARDÍN

(1931)

CANCIONES

VOZ DE BELISA

AMOR, amor.
Entre mis muslos cerrados,
nada como un pez el sol.
Agua tibia entre los juncos,
amor.
¡Gallo que se va la noche!
¡Que no se vaya, no!

PERLIMPLÍN

AMOR, amor
que estás herido.
Herido de amor huido;
herido,
muerto de amor.
Decid a todos que ha sido
el ruiseñor.
Bisturí de cuatro filos,
garganta rota y olvido,
cógeme la mano, amor,
que vengo muy mal herido,
herido de amor huido,
¡herido!
¡muerto de amor!

4

ASÍ QUE PASEN CINCO AÑOS
(1931)

ESCENA DEL MANIQUÍ

JOVEN *(mirando a la puerta)*

¿QUIÉN?

*(Entra en escena EL MANIQUÍ con vestido de novia.
Este personaje tiene la cara y las cejas y los labios
dorados como un maniquí de escaparate de lujo.
Trae puesto con cierto embarazo un espléndido traje
de novia, con larga cola y velo.)*

MANIQUÍ *(canta y llora)*

¿Quién usará la plata buena
de la novia chiquita y morena?
Mi cola se pierde por el mar
y la luna lleva puesta mi corona de azahar.
Mi anillo, señor, mi anillo de oro viejo,
se hundió por las arenas del espejo.
¿Quién se pondrá mi traje? ¿Quién se lo pondrá?
Se lo pondrá la ría grande para casarse con el mar.

JOVEN

¿Qué cantas, dime?

MANIQUÍ

Yo canto
muerte que no tuve nunca,
dolor de velo sin uso,
un llanto de seda y pluma.

207

Ropa interior que se queda
helada de nieve oscura,
sin que los encajes puedan
competir con las espumas.
Telas que cubren la carne
serán para el agua turbia.
Y en vez de rumor caliente,
quebrado torso de lluvia.
¿Quién usará la ropa buena
de la novia chiquita y morena?

JOVEN

Se la pondrá el aire oscuro
jugando al alba en su gruta,
ligas de raso los juncos,
medias de seda la luna.
Dale el velo a las arañas
para que coman y cubran
las palomas, enredadas
en sus hilos de hermosura.
Nadie se pondrá tu traje,
forma blanca y luz confusa,
que seda y escarcha fueron
livianas arquitecturas.

MANIQUÍ

Mi cola se pierde por el mar.

JOVEN

Y la luna lleva en vilo tu corona de azahar.

MANIQUÍ (irritado)

No quiero. Mis sedas tienen
hilo a hilo y una a una
ansia de color de boda.
Y mi camisa pregunta

dónde están las manos tibias
que oprimen en la cintura.

JOVEN

Yo también pregunto. Calla.

MANIQUÍ

Mientes. Tú tienes la culpa.
Pudiste ser para mí
potro de plomo y espuma,
el aire roto en el freno
y el mar atado en la grupa.
Pudiste ser un relincho
y eres dormida laguna,
con hojas secas y musgo
donde este traje se pudra.
Mi anillo, señor mío, mi anillo de oro viejo.

JOVEN

Se hundió por las arenas del espejo.

MANIQUÍ

Ella esperaba desnuda
como una sierpe de viento
desmayada por las puntas.

JOVEN *(levantándose)*

¡Silencio! Déjame. Vete,
o te romperé con furia
las iniciales de nardo
que la blanca seda oculta.
Vete a la calle a buscar
hombros de virgen nocturna
o guitarras que te lloren
seis largos gritos de música.
Nadie se pondrá tu traje.

MANIQUÍ

Te seguiré siempre.

JOVEN

Nunca.

MANIQUÍ

Déjame hablarte.

JOVEN

Es inútil.
No quiero saber.

MANIQUÍ

Escucha.
Mira.

JOVEN

¿Qué?

MANIQUÍ

Un trajecito.
que robé de la costura.

(Enseña un traje rosa de niño)

Las fuentes de leche blanca
mojan mis sedas de angustia
y un dolor blanco de abeja
cubre de rayos mi nuca.
Mi hijo. Quiero a mi hijo.
Por mi falda lo dibujan
estas cintas que me estallan
de alegría en la cintura.
Y es tu hijo.

JOVEN

Sí, mi hijo:
donde llegan y se juntan
pájaros de sueño loco
y jazmines de cordura.

(Angustiado)

¿Y si mi niño no llega?
Pájaro que el aire cruza
no puede cantar.

MANIQUÍ

No puede.

JOVEN

¿Y si mi niño no llega?
Velero que el agua surca
no puede nadar.

MANIQUÍ

No puede.

JOVEN

Quieta el arpa de la lluvia,
un mar hecho piedra ríe
últimas olas oscuras.

MANIQUÍ

¿Quién se pondrá mi traje?
¿Quién se lo pondrá?

JOVEN (entusiasmado y rotundo)

Se lo pondrá la mújer que espera,
por las orillas del mar.

MANIQUÍ

Te espera siempre, ¿recuerdas?
Estaba en tu casa oculta.
Ella te amaba y se fue.
Tu niño canta en su cuna
y como es niño de nieve
espera la sangre tuya.
Corre a buscarla de prisa
y entrégamela desnuda
para que mis sedas puedan,
hilo a hilo y una a una,
abrir la rosa que cubre
su vientre de carne rubia.

JOVEN

¡He de vivir!

MANIQUÍ

Sin espera.

JOVEN

Mi niño canta en su cuna
y como es niño de nieve
aguarda calor y ayuda.

MANIQUÍ

Dame el traje.

JOVEN *(dulce)*

No.

MANIQUÍ *(arrebatándoselo)*

Lo quiero.
Mientras tú vences y buscas

yo cantaré una canción
sobre tus tiernas arrugas.

(Lo besa)

JOVEN

Pronto. ¿Dónde está?

MANIQUÍ

En la calle.

JOVEN

Antes que la roja luna
limpie con sangre de eclipse
la perfección de su curva,
traeré temblando de amor
mi propia mujer desnuda.

5

BODAS DE SANGRE

(1933)

NANA

SUEGRA

NANA, niño, nana
del caballo grande
que no quiso el agua.
El agua era negra
dentro de las ramas.
Cuando llega al puente
se detiene y canta.
¿Quién dirá, mi niño,
lo que tiene el agua,
con su larga cola
por su verde sala?

MUJER

Duérmete, clavel,
que el caballo no quiere beber.

SUEGRA

Duérmete, rosal,
que el caballo se pone a llorar.
Las patas heridas,
las crines heladas,
dentro de los ojos
un puñal de plata.
Bajaban del río.
¡Ay, cómo bajaban!
La sangre corría
más fuerte que el agua.

MUJER

Duérmete, clavel,
que el caballo no quiere beber.

SUEGRA

Duérmete, rosal,
que el caballo se pone a llorar.

MUJER

No quiso tocar
la orilla mojada
su belfo caliente
con moscas de plata.
A los montes duros
sólo relinchaba
con el río muerto
sobre la garganta.
¡Ay caballo grande
que no quiso el agua!
¡Ay dolor de nieve,
caballo del alba!

SUEGRA

¡No vengas! Detente,
cierra la ventana
con ramas de sueños
y sueño de ramas.

MUJER

Mi niño se duerme.

SUEGRA

Mi niño se calla.

MUJER

Caballo, mi niño
tiene una almohada.

SUEGRA

Su cuna de acero.

MUJER

Su colcha de Holanda.

SUEGRA

Nana, niño, nana.

MUJER

¡Ay caballo grande
que no quiso el agua!

SUEGRA

¡No vengas, no entres!
Vete a la montaña.
Por los valles grises
donde está la jaca.

MUJER

Mi niño se duerme.

SUEGRA

Mi niño descansa.

MUJER

Duérmete, clavel,
que el caballo no quiere beber.

SUEGRA

Duérmete, rosal,
que el caballo se pone a llorar.

DESPIERTE LA NOVIA

MUCHACHA 1ª *(entrando)*

¡DESPIERTE la novia
la mañana de la boda;
ruede la ronda
y en cada balcón una corona!

VOCES

¡Despierte la novia!

CRIADA *(moviendo algazara)*

Que despierte
con el ramo verde
del amor florido.
¡Que despierte
por el tronco y la rama
de los laureles!

MUCHACHA 2ª *(entrando)*

Que despierte
con el largo pelo,
camisa de nieve,
botas de charol y plata
y jazmines en la frente.

CRIADA

¡Ay, pastora,
que la luna asoma!

MUCHACHA 1ª

¡Ay, galán,
deja tu sombrero por el olivar!

Mozo 1º *(entrando con el sombrero en alto)*

Despierte la novia,
que por los campos viene
rodando la boda,
con las bandejas de dalia
y panes de gloria.

VOCES

¡Despierte la novia!

MUCHACHA 2ª

La novia
se ha puesto su blanca corona,
y el novio
se la prende con lazos de oro.

CRIADA

Por el toronjil
la novia no puede dormir.

MUCHACHA 3ª *(entrando)*

Por el naranjel
el novio le ofrece cuchara y mantel.

(Entran tres convidados)

Mozo 1º

¡Despierta, paloma!
El alba despeja
campanas de sombra.

CONVIDADO

La novia, la blanca novia,
hoy doncella,
mañana señora.

MUCHACHA 1ª

Baja, morena,
arrastrando tu cola de seda.

CONVIDADO

Baja, morenita,
que llueve rocío la mañana fría.

MOZO 1º

Un árbol quiero bordarle
lleno de cintas granates
y en cada cinta un amor
con vivas alrededor.

VOCES

¡Despierte la novia!

MOZO 1º

¡La mañana de la boda!

CONVIDADO

La mañana de la boda
qué galana vas a estar;
pareces, flor de los montes,
la mujer de un capitán.

PADRE *(entrando)*

La mujer de un capitán
se lleva el novio.
¡Ya viene con sus bueyes por el tesoro!

MUCHACHA 3ª

El novio
parece flor de oro.

Cuando camina,
a sus plantas se agrupan las clavellinas.

CRIADA

¡Ay mi niña dichosa!

Mozo 2º

Que despierte la novia.

CRIADA

¡Ay mi galana!

MUCHACHA 1ª

La boda está llamando
por las ventanas.

MUCHACHA 2ª

¡Que salga la novia!

MUCHACHA 1ª

¡Que salga, que salga!

CRIADA

¡Que toquen y repiquen
las campanas!

Mozo 1º

¡Que viene aquí! ¡Que sale ya!

CRIADA

¡Como un toro, la boda
levantándose está!

223

ROMANCE DE LA LUNA

LUNA

CISNE redondo en el río,
ojo de las catedrales,
alba fingida en las hojas
soy. ¡No podrán escaparse!
¿Quién se oculta? ¿Quién solloza
por la maleza del valle?
La luna deja un cuchillo
abandonado en el aire,
que siendo acecho de plomo
quiere ser dolor de sangre.
¡Dejadme entrar! ¡Vengo helada
por paredes y cristales!
¡Abrid tejados y pechos
donde pueda calentarme!
¡Tengo frío! Mis cenizas
de soñolientos metales,
buscan la cresta del fuego
por los montes y las calles.
Pero me lleva la nieve
sobre su espalda de jaspe,
y me anega, dura y fría,
el agua de los estanques.
Pues esta noche tendrán
mis mejillas roja sangre,
y los juncos agrupados
en los anchos pies del aire.
¡No haya sombra ni emboscada,
que no puedan escaparse!
¡Que quiero entrar en un pecho
para poder calentarme!
¡Un corazón para mí!
¡Caliente!, que se derrame
por los montes de mi pecho;
dejadme entrar, ¡ay, dejadme!

No quiero sombras. Mis rayos
han de entrar en todas partes,
y haya en los troncos oscuros
un rumor de claridades,
para que esta noche tengan
mis mejillas dulce sangre,
y los juncos agrupados
en los anchos pies del aire.
¿Quién se oculta? ¡Afuera digo!
¡No! ¡No podrán escaparse!
Yo haré lucir al caballo
una fiebre de diamante.

6

YERMA

(1935)

CANCIÓN DE LAS LAVANDERAS

LAVANDERA 4ª

EN EL arroyo frío
lavo tu cinta.
Como un jazmín caliente
tienes la risa.
Quiero vivir
en la nevada chica
de ese jazmín.

LAVANDERA 1ª

¡Ay de la casada seca!
¡Ay de la que tiene los pechos de arena!

LAVANDERA 5ª

Dime si tu marido
guarda semilla
para que el agua cante
por tu camisa.

LAVANDERA 4ª

Es tu camisa
nave de plata y viento
por las orillas.

LAVANDERA 1ª

Las ropas de mi niño
vengo a lavar

para que tome el agua
lecciones de cristal.

LAVANDERA 2ª

Por el monte ya llega
mi marido a comer.
Él me trae una rosa
y yo le doy tres.

LAVANDERA 5ª

Por el llano ya vino
mi marido a cenar.
Las brasas que me entrega
cubro con arrayán.

LAVANDERA 4ª

Por el aire ya viene
mi marido a dormir.
Yo alhelíes rojos
y él rojo alhelí.

LAVANDERA 1ª

Hay que juntar flor con flor
cuando el verano seca la sangre al segador.

LAVANDERA 4ª

Y abrir el vientre a pájaros sin sueño
cuando a la puerta llama temblando el invierno.

LAVANDERA 1ª

Hay que gemir en la sábana.

LAVANDERA 4ª

¡Y hay que cantar!

LAVANDERA 5ª

Cuando el hombre nos trae
la corona y el pan.

LAVANDERA 4ª

Porque los brazos se enlazan.

LAVANDERA 2ª

Porque la luz se nos quiebra en la garganta.

LAVANDERA 4ª

Porque se endulza el tallo de las ramas.

LAVANDERA 1ª

Y las tiendas del viento cubren a las montañas.

LAVANDERA 6ª

(apareciendo en lo alto del torrente)

Para que un niño funda
yertos vidrios del alba.

LAVANDERA 1ª

Y nuestro cuerpo tenga
ramas furiosas de coral.

LAVANDERA 6ª

Para que haya remeros
en las aguas del mar.

LAVANDERA 1ª

Un niño pequeño, un niño.

LAVANDERA 2ª

Y las palomas abran las alas y el pico.

LAVANDERA 3ª

Un niño que gime, un hijo.

LAVANDERA 4ª

Y los hombres avanzan
como ciervos heridos.

LAVANDERA 5ª

¡Alegría, alegría, alegría,
del vientre redondo bajo la camisa!

LAVANDERA 2ª

¡Alegría, alegría, alegría,
ombligo, cáliz tierno de maravilla!

LAVANDERA 1ª

¡Pero, ay de la casada seca!
¡Ay de la que tiene los pechos de arena!

LAVANDERA 3ª

¡Que relumbre!

LAVANDERA 4ª

¡Que corra!

LAVANDERA 5ª

¡Que vuelva a relumbrar!

LAVANDERA 1ª

¡Que cante!

LAVANDERA 2ª

¡Que se esconda!

LAVANDERA 1ª

Y que vuelva a cantar.

LAVANDERA 6ª

La aurora que mi niño
lleva en el delantal.

LAVANDERA 2ª *(cantan todas a coro)*

En el arroyo frío
lavo tu cinta.
Como un jazmín caliente
tienes la risa.
¡Ja, ja, ja!

ORACIÓN DE LAS PENITENTES

MARÍA

Señor, que florezca la rosa,
no me la dejéis en sombra.

MUJER 2ª

Sobre tu carne marchita
florezca la rosa amarilla.

MARÍA

Y en el vientre de tus siervas
la llama oscura de la tierra.

CORO DE MUJERES

Señor, que florezca la rosa,
no me la dejéis en sombra.

(Se arrodillan)

233

YERMA

El cielo tiene jardines
con rosales de alegría,
entre rosal y rosal
la rosa de maravilla.
Rayo de aurora parece,
y un arcángel la vigila,
las alas como tormentas,
los ojos como agonías.
Alrededor de sus hojas
arroyos de leche tibia
juegan y mojan la cara
de las estrellas tranquilas.
Señor, abre tu rosal
sobre mi carne marchita.

(Se levantan.)

MUJER 2ª

Señor, calma con tu mano
las ascuas de su mejilla.

YERMA

Escucha a la penitente
de tu santa romería.
Abre tu rosa en mi carne
aunque tenga mil espinas.

CORO

Señor, que florezca la rosa,
no me la dejéis en sombra.

YERMA

Sobre mi carne marchita
la rosa de maravilla.

7

DOÑA ROSITA LA SOLTERA
O EL LENGUAJE DE LAS FLORES

(1935)

LA ROSA MUDABLE

CUANDO se abre en la mañana,
roja como sangre está.
El rocío no la toca
porque se teme quemar.
Abierta en el mediodía
es dura como el coral.
El sol se asoma a los vidrios
para verla relumbrar.
Cuando en las ramas empiezan
los pájaros a cantar
y se desmaya la tarde
en las violetas del mar,
se pone blanca, con blanco
de una mejilla de sal.
Y cuando toca la noche
blanco cuerno de metal
y las estrellas avanzan
mientras los aires se van,
en la raya de lo oscuro,
se comienza a deshojar.

DIÁLOGO DE LAS TRES MANOLAS

MANOLA 1ª
(entrando y cerrando la sombrilla)
¡Ay!

MANOLA 2ª *(igual)*
¡Ay, qué fresquito!

MANOLA 3ª *(igual)*
¡Ay!

ROSITA *(igual)*
¿Para quién son los suspiros
de mis tres lindas manolas?

MANOLA 1ª
Para nadie.

MANOLA 2ª
Para el viento.

MANOLA 3ª
Para un galán que me ronda.

ROSITA
¿Qué manos recogerán
los ayes de vuestra boca?

MANOLA 1ª
La pared.

MANOLA 2ª
Cierto retrato.

MANOLA 3ª
Los encajes de mi alcoba.

ROSITA
También quiero suspirar.
¡Ay, amigas! ¡Ay, manolas!

MANOLA 1ª

¿Quién los recoge?

ROSITA

        Dos ojos
que ponen blanca la sombra,
cuyas pestañas son parras
donde se duerme la aurora.
Y a pesar de negro son
dos tardes con amapolas.

MANOLA 1ª

¡Ponle una cinta al suspiro!

MANOLA 2ª

  ¡Ay!

MANOLA 3ª

Dichosa tú.

MANOLA 1ª

    ¡Dichosa!

ROSITA

No me engañéis, que yo sé
cierto rumor de vosotras.

MANOLA 1ª

Rumores son jaramagos.

MANOLA 2ª

Y estribillos de las olas.

Rosita

Lo voy a decir...

Manola 1ª

Empieza.

Manola 3ª

Los rumores son coronas.

Rosita

Granada, calle de Elvira,
donde viven las manolas,
las que se van a la Alhambra,
las tres y las cuatro solas.
Una vestida de verde,
otra de malva, y la otra,
un coselete escocés
con cintas hasta la cola.
Las que van delante, garzas,
la que va detrás, paloma,
abren por las alamedas
muselinas misteriosas.
¡Ay, qué oscura está la Alhambra!
¿Adónde irán las manolas
mientras sufren en la umbría
el surtidor y la rosa?
¿Qué galanes las esperan?
¿Bajo qué mirto reposan?
¿Qué manos roban perfumes
a sus dos flores redondas?
Nadie va con ellas, nadie;
dos garzas y una paloma.
Pero en el mundo hay galanes
que se tapan con las hojas.
La catedral ha dejado
bronces que la brisa toma;
el Genil duerme a sus bueyes

y el Dauro a sus mariposas.
La noche viene cargada
con sus colinas de sombra;
una enseña los zapatos
entre volantes de blonda;
la mayor abre los ojos
y la menor los entorna.
¿Quiénes serán esas tres
de alto pecho y larga cola?
¿Por qué agitan los pañuelos?
¿Adónde irán a estas horas?
Granada, calle de Elvira,
donde viven las manolas,
las que se van a la Alhambra,
las tres y las cuatro solas.

MANOLA 1ª

Deja que el rumor extienda
sobre Granada sus olas.

MANOLA 2ª

¿Tenemos novio?

ROSITA

Ninguna.

MANOLA 2ª

¿Digo la verdad?

ROSITA

Sí, toda.

MANOLA 3ª

Encaje de escarcha tienen
nuestras camisas de novia.

ROSITA

Pero...

MANOLA 1ª

La noche nos gusta.

ROSITA

Pero...

MANOLA 2ª

Por calles en sombra.

MANOLA 1ª

Nos subimos a la Alhambra
las tres y las cuatro solas.

MANOLA 3ª

¡Ay!

MANOLA 2ª

Calla.

MANOLA 3ª

¿Por qué?

MANOLA 2ª

¡Ay! ¡Ay!

MANOLA 1ª

¡Ay, sin que nadie lo oiga!

ROSITA

Alhambra, jazmín de pena
donde la luna reposa.

SOLTERONA 3ª *(en el piano)*

MADRE, llévame a los campos
con la luz de la mañana
a ver abrirse las flores
cuando se mecen las ramas.
Mil flores dicen mil cosas
para mil enamoradas,
y la fuente está contando
lo que el ruiseñor se calla.

ROSITA

Abierta estaba la rosa
con la luz de la mañana;
tan roja de sangre tierna,
que el rocío se alejaba;
tan caliente sobre el tallo,
que la brisa se quemaba.
¡Tan alta!
¡Cómo reluce!
¡Abierta estaba!

SOLTERONA 3ª

"Sólo en ti pongo mis ojos"
—el heliotropo expresaba—.
"No te querré mientras viva",
  dice la flor de la albahaca.
"Soy tímida", la violeta.
"Soy fría", la rosa blanca.
Dice el jazmín: "Seré fiel",
y el clavel: "¡Apasionada!"

SOLTERONA 2ª

El jacinto es la amargura;
el dolor, la pasionaria.

SOLTERONA 1ª

El jaramago, el desprecio;
y los lirios, la esperanza.

TÍA

Dice el nardo: "Soy tu amigo";
"Creo en ti", la pasionaria.
La madreselva te mece,
la siempreviva te mata.

MADRE

Siempreviva de la muerte,
flor de las manos cruzadas;
¡qué bien estás cuando el aire
llora sobre tu guirnalda!

ROSITA

Abierta estaba la rosa,
pero la tarde llegaba,
y un rumor de nieve triste
le fue pesando las ramas;
cuando la sombra volvía,
cuando el ruiseñor cantaba,
como una muerta de pena
se puso transida y blanca;
y cuando la noche, grande
cuerno de metal sonaba
y los vientos enlazados
dormían en la montaña,
se deshojó suspirando
por los cristales del alba.

SOLTERONA 3ª

Sobre tu largo cabello
gimen las flores cortadas.

Unas llevan puñalitos,
otras fuego y otras agua.

SOLTERONA 1ª

Las flores tienen su lengua
para las enamoradas.

ROSITA

Son celos el carambuco;
desdén esquivo la dalia;
suspiros de amor el nardo
risa la gala de Francia.
Las amarillas son odio,
el furor, las encarnadas;
las blancas son casamiento
y las azules, mortaja.

SOLTERONA 3ª

Madre, llévame a los campos
con la luz de la mañana
a ver abrirse las flores
cuando se mecen las ramas.

(El piano hace la última escala y se para).

ÍNDICE

POESÍAS

3

PRIMERAS CANCIONES
(1922)

4
CANCIONES
(1921 - 1924)

5

ROMANCERO GITANO
(1924 - 1927)

6

ODA A SALVADOR DALÍ
(1926)

7

POETA EN NUEVA YORK
(1929 - 1930)

11
POEMAS VARIOS

TEATRO

1
MARIANA PINEDA
(1924)

2
LA ZAPATERA PRODIGIOSA
(1930)